Cuéntame una historia

Tomo Tres

Cuéntame una historia

Tomo Tres / Por Arturo S. Maxwell

PUBLICACIONES INTERAMERICANAS
Boise, Idaho, EE. UU. — Montemorelos, Nuevo León, México
ASOCIACION CASA EDITORA SUDAMERICANA
Florida, Buenos Aires, Argentina
EDITORIAL SAFELIZ
Madrid, España

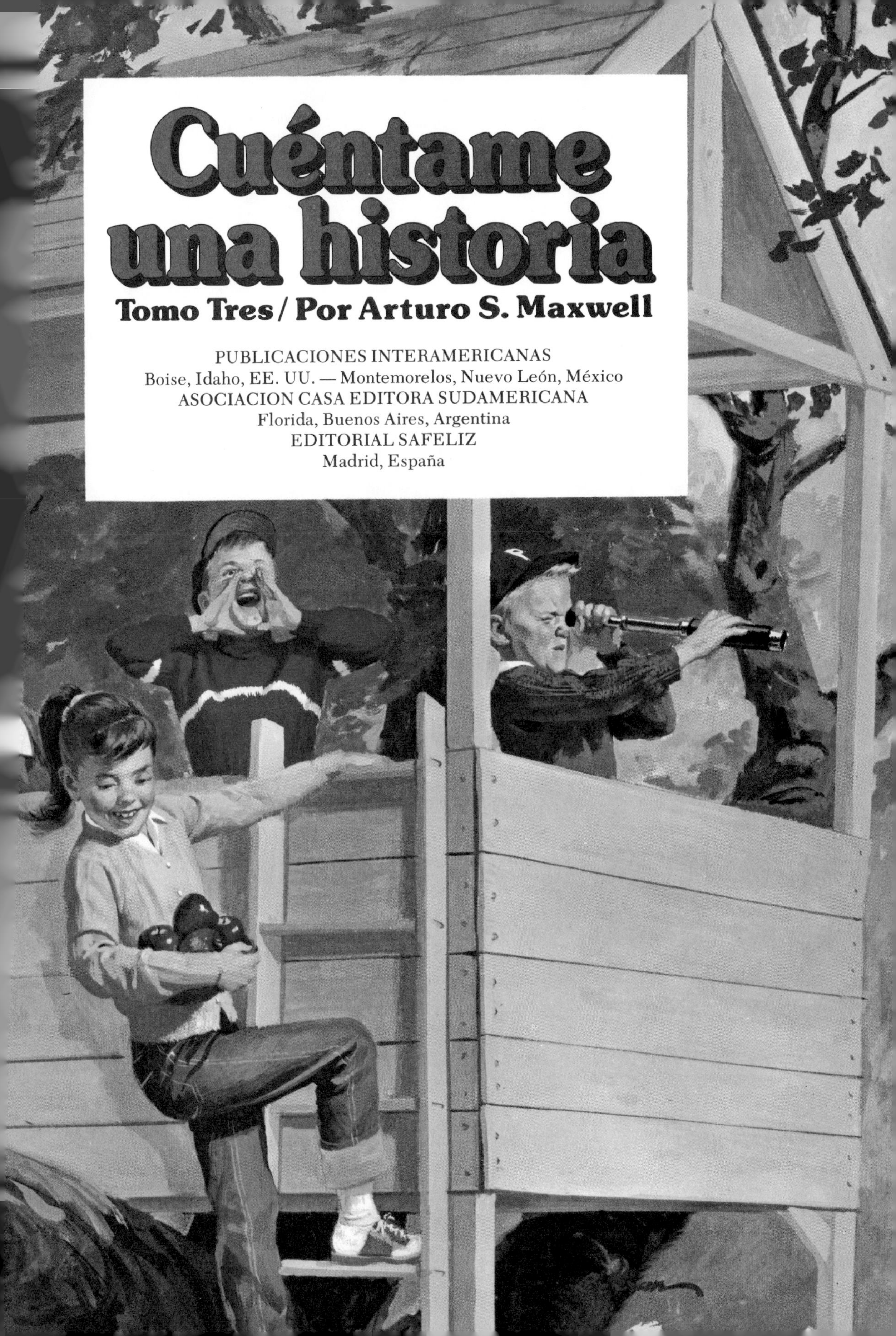

EDITADO E IMPRESO POR
Publicaciones Interamericanas, división hispana de la Pacific Press Publishing Association, P. O. Box 7000, Boise, Idaho 83707, EE. UU. de N. A.

Primera edición: 4.ª reimpresión, 1987
35.000 ejemplares en circulación
ISBN 0-8163-9990-5 OFFSET IN U.S.A.

Contenido

R. HARLAN

Indice Temático

Artistas que participaron en la ilustración de este tomo: Harry Anderson, Harry Baerg, Robert Berran, Fred Collins, Kreigh Collins, William Dolwick, Arlo Greer, John Gourley, Russ Harlam, Joseph Hennesy, William Hutchinson, Manning de V. Lee, Donald Muth, Vernon Nye, Herbert Rudeen y Jack White. Portada de John Steel.

ARLO GREER

HISTORIA **1**

Las Cenizas de Ricardo

RICARDO estaba realmente emocionado. Saltaba de alegría. Siempre había deseado "inventar" algo ¡y ahora lo había logrado! Su globo de aire caliente, en el cual había trabajado varias semanas, estaba casi listo. Sólo quedaban unos pocos detalles que terminar. Entonces encendería la pequeña bola de algodón empapada en combustible, situada en la parte inferior del globo, y podría observar cómo se iría llenando de aire caliente, para luego elevarse hacia el cielo. Sería un día inolvidable para él, porque todos sus amigos vendrían para contemplar ese gran espectáculo. El les había estado hablando de este asunto mucho antes de que empezara a fabricar su globo, y estaba seguro de que ellos quedarían deslumbrados cuando lo vieran elevándose en el aire.

¡Y puedo decirles que fue algo digno de ser visto! No había sido un trabajo pequeño. Tenía 1,84 m de alto por 1,22 m de ancho. Ricardo había hecho primero la armazón de alambre fuerte y delgado. Luego cortó tiras de papel de diferentes colores, que pegó en forma vertical, esto es, de arriba abajo, como los gajos de una naranja pelada, sobre la armazón que había hecho. ¡Había sido una tarea bastante delicada colocar exactamente esas tiras de papel! El globo se había roto en más de una ocasión o una tira de papel había quedado mal pegada.

En el centro del círculo de alambre de la parte inferior del globo, y sostenida por alambres, estaba la bola de algodón

"¡Se está elevando! ¡Se está elevando!", gritaba Ricardo lleno de entusiasmo.

A. GREER

empapada de aceite, la cual debía bajarse un poco para que calentara el aire del globo sin incendiarlo.

¡Por fin todo quedó listo para el gran ascenso! Los amigos de Ricardo se encontraban junto a él, esperando ansiosamente el momento en que el globo fuera soltado.

Pero Ricardo no tenía prisa. El quería disfrutar en su totalidad este momento de triunfo, que había deseado por largo tiempo y por el cual había trabajado afanosamente. Explicaba y explicaba cómo había diseñado su globo, y por qué estaba seguro de que se elevaría en el aire. Una y otra vez respondió todas las preguntas que sus amigos le hicieron.

Y por fin, dándose aires de importancia, encendió el fósforo y lo acercó a la bola de algodón. Esta comenzó a arder inmediatamente. Los jóvenes se retiraron un poco para observar cómo el aire caliente entraba en el globo, hasta que se llenó completamente.

—¡Se está elevando! —gritaba Ricardo lleno de entusiasmo—. ¡Se está elevando!

Aplaudía con gran alegría, cuando una ráfaga de aire sopló la llama contra el papel. ¡No hubo tiempo de salvar el globo! ¡En un momento el hermoso globo se hallaba en tierra, envuelto en llamas!

¡Pobre Ricardo! Desesperadamente corrió a su casa ansioso de alejarse de sus amigos, los cuales habían esperado mucho de él y de su famoso "invento". Se avergonzó de haberlo alabado tanto antes de estar seguro de que tendría éxito. ¡Todo su tiempo y esfuerzo de semanas se habían perdido! ¡Sólo quedaban un montón de cenizas y unos alambres retorcidos!

Esa noche el padre fue a su dormitorio.

—¡Oh! —gimió Ricardo —, ¿por qué tenía que incendiarse?

—No te preocupes tanto por eso —le dijo su padre—. Cosas peores han sucedido en este mundo. Lo que realmente importa no es que el globo se haya quemado, sino que tú te esforzaste para hacer lo mejor que podías.

Tomás A. Edison, experimentando en su laboratorio.

—Papá —respondió muy afligido—, pero es que se perdió todo.

—No; no todo se perdió —repuso su padre—. Piensa en lo que aprendiste sobre los globos, y acerca de la manera correcta de doblar los alambres y pegar bien el papel. Esto no se ha perdido. Ya verás cómo todo esto te será útil algún día.

—¡Pero yo deseaba tanto inventar algo! —sollozó Ricardo.

—Lo sé, hijo —le respondió el padre—; pero recuerda que las cosas realmente buenas no se han inventado en forma rápida. Piensa en los continuos experimentos de Tomás Edison antes de inventar la bombilla o lámpara incandescente, el fonógrafo y otros aparatos que dio al mundo. ¿Crees que él descubrió estas cosas en sus primeros intentos? ¡No! Trabajó y trabajó en ellos. Probaba y fallaba; y volvía a probar.

—¿Semana tras semana? —le preguntó Ricardo.

—Por años y años —lo consoló su padre—. Y tuvo tantos

fracasos, que es maravilloso que haya podido hacer lo que hizo. Tú deberías ver su montón de desperdicios.

—¿Montón de desperdicios? —preguntó sorprendido Ricardo.

—Sí —le repuso su padre—. He oído decir que a todo el que visita uno de los talleres de Edison se le muestra este montón de desperdicios. Cada vez que fracasaba en un experimento arrojaba las partes inservibles y comenzaba de nuevo. Tú construye otro globo, uno mejor aún. Inventa uno que no se incendie. Averigua en qué te equivocaste, y corrige tu error. Así es como se han logrado las invenciones más valiosas.

—Creo que si Edison tenía un montón de desperdicios, yo no debería sentirme tan acongojado por mi montoncito de cenizas —dijo Ricardo—. Mañana mismo comenzaré a hacer un nuevo globo.

—Muy bien —dijo el padre en tono de aprobación—. Ese es el espíritu que triunfa. Todo buen inventor tiene su montón de desperdicios. En este momento has comenzado a caminar por el camino hacia el éxito.

HISTORIA **2**

"Presente, Señor Capitán"

—¡MAURICIO!— llamó el padre insistentemente—. Ven aquí. Necesito que me ayudes.

No hubo contestación alguna. El padre continuó con sus ocupaciones. Sobre el piso se hallaba el montón de madera que había comprado para el invierno que se avecinaba, y necesitaba colocarlo en su lugar antes de que anocheciera.

Después de unos pocos minutos llamó de nuevo y en forma más insistente:

—Mauricio, ¿dónde estás?

Tampoco obtuvo ninguna respuesta.

El padre no sabía qué hacer, si buscar a Mauricio o hacer solo el trabajo. Finalmente decidió continuar arreglando la leña.

Pero siguió pensando en su hijo. "¿Por qué no habrá venido a ayudarme? —se preguntaba—. Bueno, a lo mejor está dentro de la casa leyendo, cómodamente sentado".

Y volvió a llamarlo de nuevo:

—Mauricio, te estoy esperando.

—Sííí —respondió por fin una voz perezosa y soñolienta desde la casa—. ¿Me llamaste, papá?

—Sí, te llamé —le respondió su padre—. Ven y ayúdame a llevar adentro esta madera.

Pero de nuevo se produjo un silencio prolongado.

—Mauricio —amenazó el padre—, ¿vienes o tendré que ir a buscarte?

—Bueno —respondió la soñolienta voz—, creo que debo ir.

Y salió rápidamente a la puerta con las manos en los bolsillos.

—¿Qué quieres que haga, papá?

—Creo que podrás darte cuenta por ti mismo de que puedes ayudarme —fue la respuesta que recibió. Debemos quitar esta madera del camino antes de que oscurezca. Ponte a trabajar de una vez.

Mauricio miró el montón de madera y comenzó a levantar y a colocar los trozos en la carretilla para que su papá los llevara adentro. El podía trabajar muy bien una vez que había comenzado a hacerlo, pero desafortunadamente necesitaba que alguien lo animara a empezar.

Cuando el trabajo se terminó y el último trozo de madera fue llevado adentro, el padre se dirigió a Mauricio, y le dijo:

—Gracias, hijo. Eres una buena ayuda. Me gustaría que siempre trabajaras conmigo. Serías un muchacho perfecto si vinieras la primera vez que se te llama. ¡Cuánto me gustaría que mejoraras en este aspecto!

—Bueno —dijo Mauricio—, siempre es difícil comenzar, especialmente cuando estoy interesado en hacer otra cosa.

—Permíteme contarte una historia —le dijo el padre.

Mauricio fue "todo oídos" pues le agradaban mucho las historias.

—¿Recuerdas haber escuchado o leído acerca de un hombre llamado Shackleton..., Sir Ernesto Shackleton?

—¿Te refieres al explorador del polo sur?

—Sí, al mismo. Una vez estaba preparando una expedición a la Antártida, y decidió llevar a un hombre de apellido Wild, el cual le había sido un ayudante muy fiel y dispuesto en viajes anteriores. Pero no lo podía encontrar por ninguna parte. Algunos decían que se había ido de cacería al interior del Africa, y que no había modo de hallarlo pronto.

"—Sería mejor que abandonaras la idea de encontrarlo —le dijo un amigo a Sir Shackleton—. Si está en el Africa nunca lo hallarás. Además, si le gusta la cacería no vendrá de ninguna manera para ir de nuevo a la Antártida.

"—Pero debo llevar a Wild conmigo —respondió Sir Shackleton.

"—Mejor es que navegues sin él —le repitió el amigo—. No puedes encontrarlo; y aunque lo hallaras, él no iría.

"—Si Wild supiera que voy a hacer este viaje, vendría —afirmó Sir Shackleton—. Estoy seguro de eso aunque él estuviera en el Africa o en otro lugar.

"—No seas tan ingenuo —le dijo su amigo".

En ese momento tocaron a la puerta. Era un mensajero que traía una tarjeta en su mano.

"—En la puerta hay un caballero que desea verlo, Sir Shackleton —le dijo el joven—. ¿Lo hago pasar?

"—Sir Shackleton miró la tarjeta, y leyó: 'Francisco Wild'.

"—¡Es Wild! —gritó—. ¡Está aquí! ¡Hágalo pasar pronto!

"Radiantes de alegría los dos amigos se saludaron y abrazaron.

"—¿Pero... ¿cómo?... ¿Por qué? —balbuceó Sir Shackleton—. Yo pensé que estaba cazando en el Africa.

"—Sí, yo estaba en el Africa —contestó Wild—; pero cuando supe que usted iba a la Antártida dejé todas las cosas, y me vine inmediatamente.

"Entonces se levantó, se cuadró delante del capitán, y saludándolo en forma correcta le dijo:

"—¡Presente, señor capitán! ¿Cuáles son sus órdenes?"

Llegado a este punto en la historia, el padre preguntó:

—Mauricio, ¿no crees que Wild hizo bien en ir? El no esperó a que lo llamaran. Se dio cuenta de que lo necesitaban, y vino inmediatamente. Dejó todas las cosas y lo que estaba haciendo y se dirigió al lugar en donde creía que estaba su deber.

—Sí —hizo muy bien en ir —dijo Mauricio.

—Yo quisiera... —comenzó a decir el padre.

—Ya sé, ya sé —repuso Mauricio—.

¡El jovencito había entendido la lección! Y la próxima vez que su papá lo llamó para que lo ayudara, Mauricio contestó inmediatamente y con entusiasmo:

—¡Presente, señor Capitán! ¿Cuáles son sus órdenes?

HISTORIA 3

Un Niño Encadenado

HACE pocos días vi un extraño espectáculo en la ciudad de Nueva York. ¡Vi a un niño encadenado!

—¿Qué? —preguntarás con asombro—. ¿Un niño encadenado en estos tiempos?

Sí, un niño vivo y real, a pesar de que Abrahán Lincoln liberó a los esclavos hace muchos años.

El niño era bastante pequeño, lo cual me hizo pensar que era muy tierno, pero su rostro tenía una apariencia tan rara y envejecida que no pude calcular la edad que tenía. Cuando lo miré me sentí sacudido al verlo fumar un cigarrillo como una persona adulta. Y decidí hablar con él.

—¿Por qué fumas a tu edad? —le pregunté amablemente.

—Señor, no puedo dejar de hacerlo —me respondió en forma franca.

—¿No puedes dejar de hacerlo? —respondí muy impresionado—. Me parece muy extraño. ¿Qué edad tienes?

—Trece años.

—¡Trece años! —exclamé—. ¿Y desde cuándo fumas?

—Desde hace tres años —me respondió.

—¡Trece años! —repetí atónito—. ¿Quieres decir que fumas desde los diez años de edad?

—Sí; así es. Los otros muchachos fumaban, y yo también comencé a hacerlo.

—¿A cuáles muchachos te refieres?

—A todos mis compañeros de la escuela —me respondió—. La mayoría de ellos fuman.

—¿Y los demás estudiantes también lo hacen? —le pregunté.

—Sí; yo los he visto fumando —me respondió.

Me quedé boquiabierto; y me preguntaba cuántos niños serían esclavos del hábito de fumar.

—Bueno —le dije—, supongo que no podrás dejarlo cuando quieras.

—Así es. No puedo dejarlo. He tratado de hacerlo pero no he podido.

—Entonces eres un esclavo —le dije.

—Creo que sí —me dijo fríamente.

¡Un esclavo a los trece años!

—Te estás envenenando —le dije—. Cuando seas hombre te sentirás muy preocupado. Nunca podrás jugar o trabajar bien si sigues fumando.

—Lo sé —me respondió—. Cuando corro me agito mucho.

Este pequeño esclavo ya experimentaba, a los trece años de edad, los efectos dañinos del tabaco. "¡Pobre pequeño esclavo!", pensé.

Hablamos un poco acerca de los daños del hábito de fumar y de la importancia de abandonar cuanto antes ese vicio.

—Tienes que usar toda tu fuerza de voluntad para hacerlo —le dije—; y tienes que hacerlo ahora mismo.

—Quizá lo haga cuando me haya fumado todos estos cigarrillos —me dijo señalando una cajetilla que agrandaba el bolsillo de su chaqueta.

—¡No! —le dije firmemente—. Si quieres dejarlo hay sólo un momento para hacerlo.

—Y ese momento es ahora —me dijo sonriendo—. Lo sé.

Su respuesta me infundió esperanza.

—Hijo, estás en lo cierto —le dije—. Ya sabes qué debes hacer. Comienza ahora, y bota esos cigarrillos. ¿Lo harás?

—Pienso que lo voy a hacer —me respondió.

—¡Magnífico! —le dije en tono de aprobación—. Prométeme que nunca más tocarás este vicio terrible.

—¡Lo prometo!

Nos estrechamos las manos, y elevé una oración para que Jesús ayudara a este jovencito a vencer en la batalla que comenzaba a pelear.

Cuando nos separamos tenía en su rostro una apariencia de triunfo. Mi pequeño amigo se había encaminado hacia la liberación de su esclavitud. Sus cadenas habían comenzado a quebrarse.

¿Las habrá roto completamente? ¿Habrá entrado en una vida nueva de libertad? ¿Habrá cumplido su promesa?

¡Espero que sí!

HISTORIA **4**

Un Cuento muy Enredado

ERA la época de las vacaciones. El tiempo era muy bueno, y Jorge deseaba tener una cometa.

Esto no era lo único que él quería, pero por el momento era lo que deseaba más.

—Papá, anda a la tienda de la esquina para que veas qué bonita cometa hay allá. Esa es la que quiero tener.

—Lo creo, hijo —le dijo su padre sin mostrar mucho interés.

—Papá, anda y mírala —le rogó de nuevo.

—Hijo —le respondió su padre—, he visto muchas cometas en mi vida.

—Pero ésta es de un nuevo estilo —insistió Jorge—, y he ganado el dinero para comprarla. Y si no vamos pronto, la venderán.

—No seas tan impaciente —le aconsejó su padre—. No hay por qué apresurarse.

—Pero tenemos que hacerlo —dijo Jorge desesperado—. Si no la compramos nosotros, la comprará otro. Hace poco vi en la tienda a un muchacho que miraba los juguetes. Estoy seguro de que le gustará la cometa.

—Déjalo que la compre —le respondió su papá.

—Oh, no, papá —le rogó Jorge—. Después de todo sólo cuesta un dólar.

El padre pensó un poco, y le preguntó:

—¿Y quién pagará ese dólar?

—Bueno..., yo, por supuesto, si tú... me lo prestas —titubeó Jorge.

—¡Ah! —repuso el padre—. Me parece haber escuchado lo mismo en otra ocasión.

Jorge se defendió. Dijo que nunca había tenido una cometa en toda su vida, mientras que otros muchachos las tenían. Algunos, afirmó, tienen dos o tres. Agregó que si tuviera la cometa sería muy, muy feliz; que nunca molestaría de nuevo a los demás; que su padre podría leer el periódico sin interrupciones de ninguna clase; que nunca le pediría a su padre que le ayudara a remendar la cometa o a enrollar el hilo, a menos que él deseara hacerlo voluntariamente. En fin, que esa cometa sería la bendición más grande que alguna vez pudiera comprar la familia. ¡Y todo por un dólar! Un dólar que sería devuelto, bajo la promesa más solemne el próximo mes.

Convencido de las buenas intenciones de Jorge, el padre se rindió, y fue a la tienda para comprar la cometa.

—¡Es aquella! ¡Es aquella! —gritó Jorge—. Aún no la han vendido. Estoy contento de que nadie la haya comprado mientras tú te decidías.

—¡Qué lástima!— le dijo el padre—. Me parece que es algo pequeña y no muy fuerte, ¿verdad?

—Sí, papá —admitió Jorge—. Una más grande sería mejor, pero costaría más. Tú lo sabes.

—Así es —repuso su padre.

Durante veinte minutos hablaron con la señora de la tienda acerca de cometas.

Decidieron comprar una cometa más grande, y volvieron a colocar en la vidriera la que costaba un dólar.

Jorge estaba muy contento.

—Te pagaré el dólar —le dijo entusiasmado a su padre.

—Por supuesto —le respondió, sabiendo que este plazo se alargaría a dos meses, por lo menos.

Cuando salían de la tienda el padre notó que faltaba algo:

Russ Harlan

—¿Dónde está el hilo para remontar la cometa?

—¿El hilo? —repitió Jorge.

—Sí, el hilo. ¿Tienes alguno? —le preguntó el padre.

—Bueno... no. —dijo Jorge muy serio—. No pensé en el hilo. ¿No viene el hilo con la cometa?

—Generalmente no —repuso su padre—. El hilo cuesta unos setenta centavos.

Jorge, palideciendo, dijo:

—Pienso que tendrás que prestarme ese dinero también.

El padre se sonrió, y le dijo:

—Hijo, te prestaré el dinero. Pero recuerda: no desenrolles el hilo hasta que lo vayas a usar. Y luego enróllalo cuidadosamente en un pedazo de madera.

—Sí, papá, yo sé cómo hacerlo —le respondió Jorge—. Lo voy a hacer bien.

Salieron de la tienda y regresaron a su casa. El padre había gastado dos dólares y setenta y cinco centavos en lugar de un dólar.

A la hora del almuerzo Jorge no estaba en la mesa.

—Jorge —llamó el papá—. ¿Dónde estás?

La madre entró, y dijo:

—Todo está bien. Jorge ha tenido un pequeño inconveniente, pero vendrá pronto.

Pero Jorge no regresó pronto. El padre fue a ver qué pasaba. Lo encontró en un cuarto con el hilo en el piso. Bueno, mejor diríamos, con un *montón* de hilo sobre el piso. Aquel montón estaba completamente enredado. El pobre estaba sentado en el piso tratando por todos los medios de desenredar aquella maraña. Su rostro expresaba angustia.

—¿Qué pasó? —le preguntó su padre—. ¿Es esta la madeja de hilo que compramos esta mañana?

Jorge levantó sus ojos llenos de lágrimas, y miró a su padre. Luego, sin decir una sola palabra, siguió con su interminable y difícil tarea.

—Jorge, ¿cómo sucedió esto? —insistió su padre—. ¿De-

papá encontró a Jorge sentado en el suelo, en dio de un montón de hilo enredado.

ARLAN

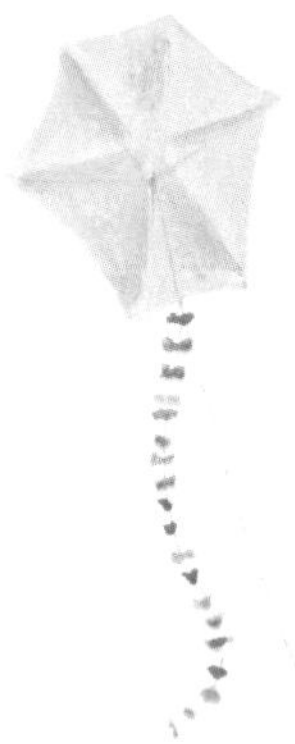

senrollaste la madeja de hilo antes de que estuvieras listo para enrollarlo en el pedazo de madera?

Jorge asintió con un movimiento de cabeza. Una lágrima cayó en el piso.

—Bien —le dijo su papá—, esto te sucedió por desobediente. Eres un jovencito impaciente, y mereces ser castigado.

—Sí —asintió Jorge, cabizbajo.

En cuanto a la maraña..., bueno, todos participaron en desenredarla: la mamá, la tía, la hermana y el papá. Y no fue hasta dos días después cuando el hilo se elevó por los aires sujetando la cometa.

Ahora, cada vez que Jorge ve una cometa volando, recuerda su error y decide no caer de nuevo en él.

HISTORIA 5

Por qué Doris Se Quedó Muda

DORIS era una niña de siete años de edad cuando le sucedió algo terrible. Era muy inteligente, y marchaba tan bien en sus estudios que su madre se sentía muy orgullosa de ella.

Pero Doris tenía un grave defecto: siempre quería hacer su voluntad, y no obedecía los consejos de su mamá. En algunas ocasiones respondía: "Sí, mamá", pero en lugar de obedecer hacía lo que le parecía.

Este defecto de Doris se puso de relieve cuando llegó el momento de asistir a la escuela. Su mamá quería que fuera por un camino, pero ella deseaba ir por otro. Por esta causa hubo un gran disgusto en el hogar de Doris.

—Hija —le dijo su mamá—, no te vayas por el camino corto de las calles de atrás. En ciertas ocasiones, jóvenes mal educados y groseros andan por esos lugares, y yo no quiero que nada malo te suceda. Por favor, ve por la calle principal y todo marchará bien.

—Pero, mamá —dijo Doris—, esas calles son muy buenas. Las he visto muchas veces y casi siempre están solitarias. Por ese camino llegaré más rápido y ahorraré tiempo.

—Te ahorrarás unos cinco minutos —observó la madre—; pero yo preferiría que, aunque te llevara un poco más de tiempo, estuvieras segura.

—Realmente no veo por qué no debo ir por ese camino —dijo Doris con voz gruñona.

—No lo hagas —le dijo la mamá—. Recuerda que no quiero que te apartes de la calle principal.

Y Doris, haciendo un gesto de desagrado, se dirigió hacia la escuela. Como las palabras de su mamá estaban aún frescas en su memoria se fue por el camino más largo; pero en la tarde, cuando regresaba a su casa, comenzó a pensar que ella tenía razón, y no su mamá.

—No veo por qué mamá no quiere que vaya por el camino más corto —se decía a sí misma—. Mamá no entiende. Si ella fuera una niña pequeña tan cansada y con tanta hambre como yo, tomaría el camino más corto. Estoy segura de eso.

Y mientras hablaba consigo misma de esta manera, finalmente se convenció de que sería mejor regresar por el camino que quería.

Y se fue. No había casi nadie en las calles. Muy contenta, Doris llegó a su casa sin inconveniente alguno. Pero no le dijo a su mamá por qué camino había regresado.

Hizo lo mismo la tarde siguiente, y la siguiente, y la siguiente. Algunas veces

Doris se sonreía al recordar cuánto se había preocupado su mamá por esas calles de atrás. "Ella no las conoce", pensó. Pero no le decía a su mamá nada de lo que hacía.

Y una tarde sucedió lo que su mamá tanto temía.

Mientras Doris iba por la calle, vio a un grupo de muchachos frente a una dulcería. Como estaban jugando alegremente no les prestó atención hasta que estuvo tan cerca de ellos como para verlos claramente. Entonces notó que jugaban lanzándose algo mientras bajaban a la acera y subían. Como no tenían una pelota, se tiraban latas vacías, repollos podridos y tomates, en fin, cualquier cosa a la cual pudieran echar mano.

De pronto vieron a Doris que se había pasado a la acera opuesta de la calle, y gritaron:

—¡Tirémosle a ella!

Y empezaron a lanzarle cosas tan fuertemente como podían.

Doris comenzó a correr, pero

no le sirvió de nada. Los muchachos corrían tan rápidamente como ella. La persiguieron como una manada de lobos hambrientos, tirándole cada uno todo lo que encontraban, mientras gritaban:

—¡Tírenle a ella!, ¡tírenle a ella!

La pobre Doris no pudo escaparse, y muy pronto su vestido estaba hecho una miseria.

Por supuesto que ninguno quería lastimarla, pero de pronto la niña, lanzando un grito y llevándose la mano al cuello, cayó al pavimento.

Los muchachos la rodearon, y se preguntaban qué había sucedido.

—Le está saliendo sangre de la garganta —dijo uno de los muchachos más grandes—. Alguien le arrojó una piedra.

Sí, alguien lo había hecho, pero ninguno confesaba su falta; y después de todo, ¿de qué serviría saberlo? ¡El daño ya estaba hecho!

Trataron de explicarle a Doris que estaban jugando pero ella no respondió. No podía hacerlo. Los muchachos comenzaron a preocuparse. Uno de ellos fue a buscar un policía, el cual tomó a Doris en sus brazos y la llevó a su casa.

—¡Doris! ¿Qué pasa? —exclamó la madre al abrir la puerta—. ¡Doris, hija mía! ¿Qué ha pasado?

Pero Doris no le podía responder.

La madre le hablaba insistentemente. La llevó adentro, y le limpió la garganta. Pero Doris no pudo decir una palabra. La madre estaba muy angustiada y la llevó al médico. Cuando éste la examinó, le dijo a la madre que una piedra le había golpeado la garganta, y que quizá no podría hablar de nuevo.

Unos días más tarde visitaron a un especialista, el cual les repitió las mismas palabras del médico. Doris y su mamá se fueron a su casa muy desconsoladas.

¡Doris no podría volver hablar! Y cuando la mamá de Doris estaba sola, lloraba, lloraba mucho... Doris pensaba a cada momento en cuán necia había sido al no seguir el consejo de su mamá. ¡Había pagado un precio muy grande por su desobediencia!

Pasaron los meses y la herida de Doris sanó completamente; pero no podía decir una palabra. Entonces la madre pensó que nunca oiría la querida y dulce voz de su hijita.

Un día alguien llamó a la puerta y la madre abrió. Era un vendedor de libros.

—No —dijo la señora—, hoy no compro libros. Muchas gracias.

—Señora, son libros para niños —le dijo el vendedor—.

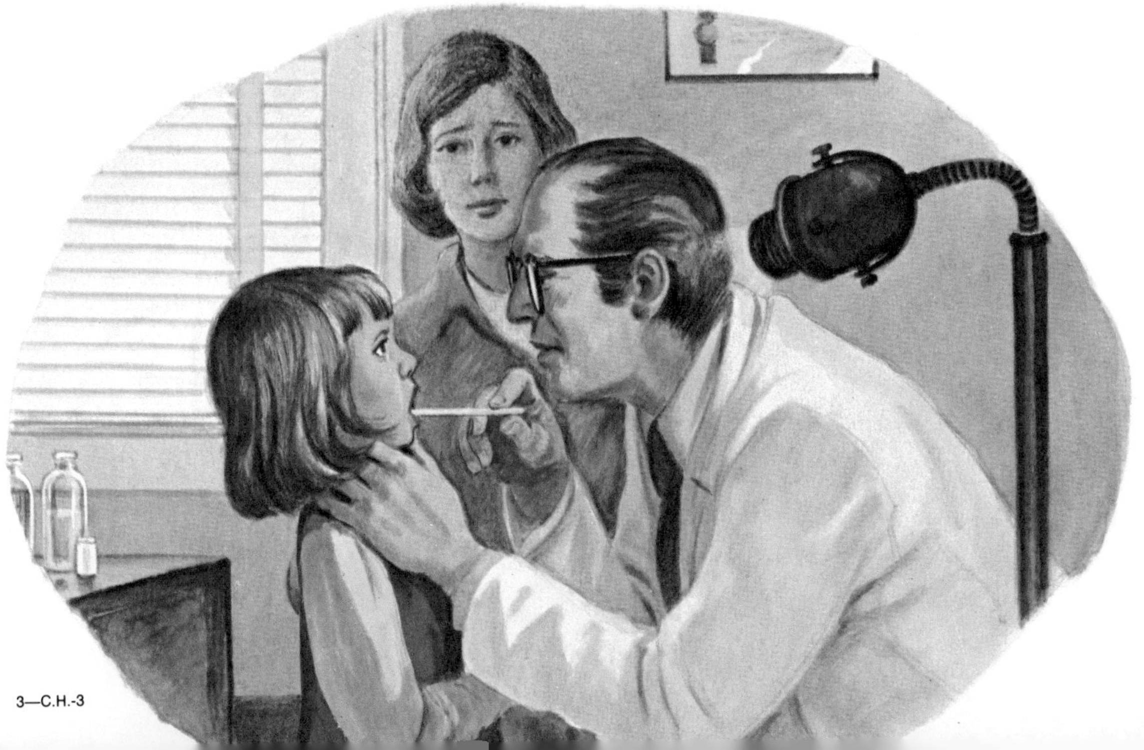

Quizá usted tenga un niño o una niña...

La madre pensó en Doris, e hizo pasar al vendedor.

Tan pronto como el vendedor vio a Doris sacó algunos de sus libros, entre los cuales se encontraba *Cuéntame una historia*, y comenzó a hacer la presentación de ellos. El hombre le preguntó a Doris qué le parecían las ilustraciones, pero no recibió respuesta alguna. Entonces miró sorprendido a la madre, la cual puso sus dedos sobre su boca y movió la cabeza tristemente.

—¡Oh, cuánto lo siento! —dijo el vendedor—, no haberme dado cuenta antes. ¿No hay ninguna esperanza?

—¡Ninguna! —dijo la madre—. Hemos visitado todos los especialistas y ninguno nos ha dado esperanza.

—Pero hay Uno que sí puede ayudarlas —dijo el hombre.

—¿Y quién es ése? —preguntó la madre con ansiedad.

—El mejor Médico de todos. ¿Han pedido la ayuda de Jesús?

—No —respondió la madre con un movimiento triste de cabeza—; no lo hemos hecho.

—¿Me permitiría usted que yo le pida su ayuda? —preguntó el hombre.

—¡Cómo no! —dijo la madre—. Si usted quiere hacerlo, bien puede.

El desconocido se arrodilló junto a Doris, y rogó a Jesús en forma muy sencilla y ferviente que, de acuerdo con su gran amor, sanara a Doris y le devolviera la voz, si ésa era su voluntad.

Luego de levantarse prometió regresar para traer los libros que la madre había encargado, y se despidió.

Le esperaba una gran sorpresa al regresar una semana más tarde.

Cuando se aproximaba a la casa de Doris, vio una niña que corría hacia él tan rápidamente como se lo permitían sus pies.

—¡Estamos muy contentas de que usted haya regresado! —exclamó tomando sus manos—. ¡Toda la semana hemos estado esperándolo!

—Mi querida niña —le dijo él alegremente—, ¿será cierto que te oímos hablar?

—Sí, sí ¡puedo hablar! —gritaba ella—. Apenas usted se fue empecé a hablar. Salí inmediatamente para decírselo, pero usted ya se había marchado.

Hubo muchas lágrimas en los ojos de todos cuando hablaban de este milagro que había sucedido; y agradecieron a Jesús, el gran Amigo de los niños, por lo que había hecho en favor de Doris.

HISTORIA **6**

Luces que Brillan

LA NOCHE del 6 de mayo de 1935 fue hermosa. El pueblo de Inglaterra celebraba jubilosamente los veinticinco años del reinado del rey Jorge V, con una inmensa fogata.

Esta gran fogata, que culminaba con todos los festejos del día, fue encendida por el rey mismo en el parque más grande de la ciudad de Londres.

Todavía me parece estar contemplando las elevadas y luminosas llamas de esa gran torre de fuego, saltando hacia el cielo y alumbrando los rostros de miles y miles de personas que se habían congregado para contemplarlas.

El rey, sentado en su palacio, oprimió un botón y prendió fuego a esta enorme hoguera; e inmediatamente se encendieron cientos de fogatas en todo el país, las cuales brillaban como manifestación de alegría porque el rey había reinado veinticinco años.

Por todas partes del país la gente se subió en las partes más altas para contemplar estas fogatas. Había más de treinta.

Estoy seguro de que el niño que vio una o más, nunca olvidará este espectáculo. En las fogatas hay algo que nos atrae. Nos hacen pensar en los días antiguos, según hemos leído en la historia.

Los antiguos usaban las fogatas como señales. Antes de la

invención de la radio y del teléfono eran la forma mejor y más rápida para comunicar las noticias.

Pero hay otras señales luminosas mejores que las de madera y otros combustibles, las cuales se acaban en muy poco tiempo. Y aunque ustedes nunca vieron las fogatas en honor al rey de Inglaterra, no dejarán de ver estas otras. Sus reflejos pueden ser vistos todas las noches de este tiempo maravilloso en que vivimos.

¿Recuerdan que Jesús dijo en cierta ocasión que antes de que él regresara le diría al mundo, por medio de "señales" o sucesos de diferentes clases, que se estaba acercando a la tierra y que su venida estaba muy cerca?

"Habrá señales", dijo Jesús (S. Lucas 21: 25).

Cristo podría haber dicho: "Encenderé luces, sí, luces en toda la tierra para que sus destellos les hagan saber a todos que mi venida está muy cercana".

Estas fogatas que el Señor prometió han estado encendidas. Si te preocupas por buscarlas las verás brillando a tu alrededor.

Observa los inventos maravillosos que tenemos ahora: aeroplanos que vuelan más rápido que el sonido, cohetes que viajan a miles de kilómetros de velocidad, naves espaciales que transportan personas a la luna e instrumentos científicos a otros planetas. ¿Qué son todas estas cosas sino señales de que estamos viviendo en "el tiempo del fin"? Cada una de estas luces nos dice que Jesús vendrá pronto.

Observa el temor horrible al futuro que se está apoderando de la gente cuando piensa en la bomba atómica y en las armas poderosas. No hay duda de que ésta es la "angustia de las gentes" que Jesús dijo que reinaría en el mundo antes de su regreso (S. Lucas 21: 25).

Piensa en la forma maravillosa en que se predica el Evangelio de Jesús en todo el mundo. ¿Hubo antes una actividad misionera se-

mejante? ¡Nunca! Cristo declaró que cuando el Evangelio fuera predicado "en todo el mundo, para testimonio a todas las naciones", entonces vendría "el fin" (S. Mateo 24: 14). Esta es otra de las luces que tenemos, y hay muchas semejantes a éstas, que brillan por toda la tierra llevando el mensaje a todos de que la venida del Señor se acerca.

¿Qué significan estas señales para nosotros? Que debemos entregar nuestro corazón a Jesús. Si lo hacemos, no tendremos ningún temor. A los hijos de Dios, el solo pensamiento de su venida los hace felices.

Pero no será un Jesús diferente el que descenderá del cielo en gloria, sino el "mismo Jesús" que vivió en la tierra hace muchos años, el que tomó a los niños en sus brazos, los bendijo, y dijo "Dejad a los niños venir a mí, y no se lo impidáis; porque de los tales es el reino de Dios" (S. Marcos 10: 14).

Cuando Jesús regrese será tan amoroso, tan amigable y tan compasivo como siempre lo fue;

pero vendrá coronado y como "Rey de reyes y Señor de señores" (Apocalipsis 19: 16).

A través de los siglos ha habido muchos momentos cuando la gente ha esperado equivocadamente al Señor en un determinado día, pero él aún no ha venido. Muchos otros, impacientes por su tardanza, han dejado de velar y esperar. Se han apartado diciendo: "Nunca vendrá, ¿para qué esperarlo más?"

Pero aquellos que aman al Señor han tomado el lugar de los que se han desanimado; y ahora hay muchas personas en todo el mundo que esperan su venida.

Jesús volverá. Nadie sabe el día ni la hora, pero las luces o "señales" prometidas, los rayos luminosos de las profecías, nos dicen que no tendremos que esperar mucho tiempo antes de que podamos ver a nuestro Rey.

Y entonces, ¿estarán ustedes alegres? ¿Se sentirán contentos de poder verlo? Así lo espero, porque regresará para tomar a sus hijos con él, y llevarlos al hogar celestial donde todo será gozo y felicidad para siempre. El tiene planes maravillosos para todos los que le aman, planes que los asombrarán y deleitarán por los siglos sin fin de la eternidad.

Por lo tanto, debemos estar listos cuando él venga. Debemos velar y estar atentos a las "señales" de su venida para que podamos decir con confianza y alegría cuando veamos su aparición: "Este es nuestro Dios, le hemos esperado, y nos salvará; éste es Jehová ..., nos gozaremos y nos alegraremos en su salvación" (Isaías 25: 9).

¡Qué celebración tan grande será esa! ¡Qué momento de regocijo tan sublime será para todos los que le aman!

HISTORIA 7

Pedro y las Semillas de Calabaza

—MAMA —dijo Pedro un día—, me gustaría ganar dinero.

—Pero, hijo —le respondió la mamá—, ¿no estás ganando algún dinero ahora? Tú me ayudas con algunos quehaceres, y yo te doy semanalmente una cantidad.

—Sí, lo sé —respondió Pedro—; pero yo me refiero a algo más grande..., algo así como gana la gente grande. Un salario, mamá.

—Bien, tú ganarás un salario cuando seas grande —le respondió la madre—, pero ya habrá tiempo para eso.

—Pero —insistió Pedro— yo, quiero ganarlo ahora. ¿No podría ir a la granja del señor Rodríguez y trabajar para él?

—Bueno, supongo que podrías hacerlo si él te diera trabajo. Pero eres un niño aún, tú lo sabes. Y dudo de que el señor Rodríguez pierda su tiempo contigo.

—Mamá, ¿no podrías pedirle tú trabajo para mí? —le rogó Pedro—. ¿Por qué no lo haces? Cuando mucho dirá que no.

Por fin, y después de muchos ruegos y persuasión, la madre prometió ver qué podía hacer por él. Al día siguiente habló con el señor Rodríguez, y acordaron que Pedro podría trabajar en la granja una semana de sus vacaciones por una

J. WHITE

determinada cantidad de dinero. Lo haría únicamente en la mañana si hacía bien su trabajo; y jugaría en la tarde.

Pedro se sintió muy grande cuando colocó en su pequeña maleta su pijama, sus cepillos para el pelo y los dientes y las otras cosas que necesitaba al ir a trabajar por primera vez en su vida.

El señor Rodríguez lo recibió muy amablemente y le mandó hacer algunas pequeñas tareas alrededor de la casa.

Una mañana, antes de comenzar a trabajar, el señor Rodríguez le dijo que tenía una tarea especial para él ese día.

—Pedro —le dijo—, deseo que me des una buena ayuda esta mañana. ¿Harás algo muy importante y en la forma en que yo te lo ordeno?

—¡Cómo no! —le respondió Pedro muy alborozado—. Por supuesto que lo haré. ¿Qué es lo que tengo que hacer?

—Ven conmigo —le dijo el señor Rodríguez— para que sepas de qué se trata.

Caminaron por la granja en donde el señor Rodríguez recogió un balde lleno de semillas de calabaza. Luego fueron a uno de los campos que estaba listo para ser sembrado.

Pedro no estaba aún seguro de qué se trataba, pero supuso que su trabajo tendría algo que ver con esa semilla. "Quizá tendré que llevar ese balde mientras el señor Rodríguez planta las semillas", pensó.

—Muy bien, Pedro, ¿ves todo este campo?

—Sí —respondió un poco desconcertado—. ¡Nunca en su vida había visto un campo tan grande!

—Muy bien —le dijo el señor Rodríguez—, tienes que caminar por este surco, y cada diez pasos siembras tres semillas y las cubres con un poquito de tierra. Cuando llegues al final tomas el siguiente surco y te vuelves haciendo el mismo trabajo. Trabaja hasta que se acaben las semillas.

—Sí, señor Rodríguez —le respondió Pedro, orgulloso de tener por fin un buen trabajo.

—¿Entiendes cómo es que deseo que sea hecho el trabajo? —le preguntó el granjero.

—Sí, tres semillas en cada hoyo, y cada hoyo a una distancia de diez pasos del otro.

—Así es, joven —respondió el señor Rodríguez con una amplia sonrisa sobre su curtido rostro—. Bueno, creo que me iré ya. Tan pronto como termines puedes ir a nadar.

—Muchas gracias, señor Rodríguez —dijo Pedro muy entusiasmado—. No tardaré en hacerlo.

—Me pregunto cómo lo podrá hacer rápidamente —se dijo el granjero mientras se dirigía a sus quehaceres.

Mientras tanto Pedro puso manos a la obra con mucha diligencia.

—Tres semillas, diez pasos...; tres semillas, diez pasos; —repetía constantemente.

Y, mientras avanzaba por el interminable surco, murmuraba: "*Tres semillas*. Luego, uno, dos, tres, cuatro, cinco, seis, siete, ocho, nueve, diez..., y tres semillas. Uno, dos, tres, cuatro, cinco, seis, siete, ocho, nueve, diez..., y tres semillas...".

Por fin llegó al final del surco y tomó el siguiente para volverse según las instrucciones del señor Rodríguez. Apenas podía ver en donde había empezado. Estaba muy lejos.

Luego miró el balde; casi se desmayó: ¡estaba tan lleno como al comienzo!

—¿Por qué? —se preguntaba—. Yo he sembrado todas las semillas y parece que no hubiera hecho nada. Tendré que trabajar más duro para poder ir a nadar.

Y empezó en el siguiente surco su larga y lenta jornada hacia donde había comenzado su trabajo. De nuevo, "tres semillas y diez pasos, tres semillas y diez pasos", repetía.

Por fin terminó el segundo surco, y volvió a mirar el balde. Sintió deseos de llorar. El nivel de las semillas en el balde había bajado ¡tan poco, pero tan poquito!

Comenzó a sentirse un poco cansado y algo más acalorado. Cuando observó el enorme montón de semillas que aún no había sembrado, se dijo a sí mismo que, si seguía trabajando en esa forma, nunca iría a nadar, según se lo había prometido el señor Rodríguez.

Y en ese momento se le ocurrió la idea de desobedecer.

—Me pregunto si importará que siembre cuatro o cinco semillas en cada hoyo —se decía—. Esto hará que las semillas

se terminen más rápidamente. El señor Rodríguez no lo sabrá cuando yo cubra las semillas.

Pensó un momento en esto. Miró el sol. Se sintió con más y más calor. Pensó en el laguito donde nadaría; y decidió hacer lo que había pensado.

Ahora su cuenta era: "Cinco semillas, diez pasos; cinco semillas, diez pasos"...

Cuando llegó al final del tercer surco comenzó con el cuarto. Pero, ¡oh, qué decepción! ¡El balde parecía estar tan lleno como al principio!

Pedro se sentó cansado y desanimado.

—El señor Rodríguez no debería haberme dado un trabajo tan grande —gemía Pedro—. El debe saber que no puedo plantar toda esta semilla y tener tiempo para nadar. Después de todo él sabía que no podía ir a nadar. Pero no puedo decirle que no he podido terminar el trabajo. Seguiré y seguiré hasta..., pero bueno..., si fue correcto que pusiera cinco semillas ¿por qué no puedo poner seis o siete?

Y esto fue lo que hizo Pedro en los dos surcos siguientes:

"Diez pasos, siete semillas; diez pasos, siete semillas".

Pero aún así la tarea parecía interminable.

Se hacía tarde, y siete semillas en un hoyo no parecían mermar rápidamente el contenido del balde.

—¡Qué me importa! —se dijo Pedro—. Terminaré con estas semillas no importa lo que tenga que hacer, y así iré a nadar. Pondré un puñado de ellas en cada hoyo.

Y continuó cansado y de mal humor. Ahora su cuenta era: "Diez pasos, y un puñado; diez pasos, y un puñado".

Por supuesto, en esta forma el balde quedó vacío en poco tiempo. Con gran satisfacción Pedro puso el balde vacío boca abajo en su lugar, y se dirigió rápidamente al lago para nadar.

Pero el baño no le resultaba muy agradable. Experimentaba un sentimiento extraño, incómodo. Qué era, o por qué se sentía así, no sabía decirlo. Pero sentía esa inquietud constantemente.

El señor Rodríguez lo saludó alegremente, y le preguntó si había terminado el trabajo.

—¿Ah?— Sí —respondió Pedro—; lo hice todo. Pero su extraña inquietud no lo dejaba en paz.

—Me alegro —dijo el granjero. Pero estas palabras no le causaron a Pedro ni la mitad de la satisfacción que en oportunidades anteriores.

Cuando al atardecer volvió a su casa, la mamá le preguntó

si había disfrutado del día. El respondió: "Sí, bastante". Pero allá, en lo profundo de su ser, sentía que no era así. No podía apartar de su mente esas semillas de calabaza. ¡De pronto recordó que tenían que nacer!

Hasta este momento él no había pensado en eso. ¡No había duda alguna que nacerían! Se puso muy inquieto. Entonces se arrodilló junto a su cama y le pidió a Dios que matara las semillas, que impidiera su nacimiento.

Pero nacieron y crecieron a pesar de su pedido a Dios. En pocos días brotaron las plantitas y aparecieron sobre la tierra.

Entonces el señor Rodríguez se dirigió a la finca para dar un paseo y averiguar por qué Pedro había terminado el trabajo mucho más rápido de lo que él había pensado.

Se sonrió. Su sonrisa parecía comprenderlo todo.

Pedro y el señor Rodríguez no se vieron de nuevo hasta que fueron a la iglesia.

Y sucedió que Pedro entró por una puerta y el señor Rodríguez por otra; pero de pronto se encontraron frente a frente en la parte central de la iglesia.

Pedro creyó que ese momento era el del juicio final. Si le

hubiera sido posible hacerlo, hubiera salido corriendo; pero algo lo mantuvo en el lugar en donde se encontraba. En ese momento veía únicamente el rostro del señor Rodríguez, y tras él miles y miles de plantitas de calabaza. Sus labios comenzaron a temblar por la emoción.

El señor Rodríguez lo notó, y entendió perfectamente lo que le sucedía al jovencito. Era un hombre de corazón amable y se dio cuenta inmediatamente que Pedro había aprendido la lección.

—No llores —le dijo suavemente a Pedro en el oído—. Recuerda que las semillas que siembras en la vida siempre nacen. "Todo lo que el hombre sembrare, eso también segará".

Estrechó la mano de Pedro en señal de perdón. El jovencito deseó en ese instante poder salir de la iglesia inmediatamente para sembrar el campo de nuevo y en forma perfecta.

HISTORIA 8

Se Abren las Ventanas del Cielo

JUAN había sido enseñado a dar el diezmo a Dios, o sea una décima parte de todo el dinero que ganaba. La Biblia nos enseña que las personas que llevan a cabo esta práctica con su dinero, siempre recibirán bendiciones especiales del cielo.

Juan apartaba cuidadosamente el diezmo para el Señor desde el mismo momento en que comenzó a ganar dinero. El siempre lo ponía en la iglesia en el lugar para las ofrendas. Si recibía cincuenta centavos por hacer algunos mandados, apartaba cinco centavos para el diezmo del Señor. Si recibía noventa centavos por limpiar un automóvil, apartaba nueve centavos como diezmo.

Año tras año continuó distribuyendo su dinero en esta forma, pero cuando creció y se dio cuenta de que no podía tener algunas cosas que compraban sus compañeros, comenzó a tomar en algunas ocasiones la parte de Dios. Por supuesto, que él no se lo dijo a su mamá porque sabía que ella se sentiría muy triste; y para no sentirse avergonzado consigo mismo comenzó a anotar en una pequeña libreta todo lo que debía pagarle a Dios, pero no lo pagó. Se decía a sí mismo que algún día, cuando tuviera más dinero, pagaría todo junto.

Claro está que ese día nunca llegó; y la cuenta aumentó más y más en la pequeña libreta de Juan. La posibilidad de cancelar su cuenta era cada día más lejana.

Un día llegó a su casa muy entusiasmado porque en la escuela habían planeado tener una excursión. Su maestra había preparado todo para hacer un viaje maravilloso al campo, en donde habría paseos en bote, muy buena comida y mucha diversión. Lo único malo era el costo del paseo: diez pesos por cada alumno.

—Bueno —le dijo su mamá—, yo no puedo pagar esa cantidad. Si quieres ir tendrás que gastar un poco de tu dinero.

El rostro de Juan palideció. ¡El deseaba tanto ir con sus compañeros! ¿Pero cómo podía gastar más dinero cuando le debía a Dios?

Subió rápidamente a su dormitorio, abrió la caja en que guardaba su dinero y su libreta de apuntar, y comenzó a contar para ver cuánto le quedaba.

—Veinticinco, cincuenta centavos, un peso, un peso y cincuenta centavos, ocho, nueve, diez pesos.

Tenía apenas lo suficiente para ir al paseo. ¡Iría después de todo!

Pero de pronto vio la libreta de apuntes. La abrió lentamente, y comenzó a contar su deuda con Dios. ¡Y mientras más contaba más se angustiaba su corazón!

¿Sería posible que le debiera tanto a Dios?

—Un peso, dos, tres, cuatro, seis, siete...

¡Qué pensamiento tan desagradable! Si le pagaba al Señor todo lo que le debía, no le quedaría dinero para el paseo. ¿Qué podía hacer?

Cada momento que pasaba se sentía más desesperado. La puerta se abrió suavemente, y la madre entró. Juan, sin demora alguna, recogió el dinero y la libreta, los puso en la gaveta, y la cerró.

Pero la mamá sospechó algo. Las madres cuando sospechan generalmente están en lo cierto, ¿verdad?

Se sentó en la cama de Juan, abrió la Biblia y buscó el capítulo tres del libro de Malaquías. Y leyó estas antiguas y familiares palabras: "¿Robará el hombre a Dios? Pues vosotros me habéis robado. Y dijisteis: ¿En qué te hemos robado? En vuestros diezmos y ofrendas... Traed todos los diezmos al alfolí y haya alimento en mi casa; y probadme ahora en esto, dice Jehová de los ejércitos, si no os abriré las ventanas de los cielos, y derramaré sobre vosotros bendición hasta que sobreabunde" (Malaquías 3: 8, 10).

Juan había oído a su mamá leer estos versículos muchas veces, pero en esta ocasión hicieron en su mente una impresión más profunda que en momentos anteriores.

—Mamá —dijo Juan —, he decidido no ir a esa excursión.

—¿Y por qué has decidido no ir? —le preguntó la mamá.

—Bueno —le respondió apenado—, te lo confesaré. Sólo tengo diez pesos ahorrados, pero se los debo al Señor. No he pagado el diezmo, y ahora no sé desde cuándo dejé de hacerlo. Pero ahora le devolveré el diezmo al Señor y no iré al paseo de la escuela. Me sentiré triste, pero... deseo que guardes este dinero para que yo no tenga la tentación de gastarlo.

Juan le entregó sus preciosos diez pesos a la madre, la cual, por un momento, no sabía qué decirle.

—Yo creo —le dijo ella después de una penosa pausa— que has hecho la decisión correcta. Estoy segura que de alguna manera todo se solucionará en la mejor forma. Sabemos que Dios hace cosas maravillosas cuando tratamos de agradarle. Y cuando él abre las ventanas de los cielos, las abre de par en par.

Los días siguientes fueron días difíciles para Juan. Le parecía que cada compañero de clase le iba a preguntar si iba al paseo, a lo cual tendría que responder:

—No; no iré esta vez.

Y que entonces le preguntarían de nuevo:

—¿Y por qué? ¿Qué sucede? ¿Estás enfermo? ¿Está tu

mamá enferma? ¿No quieres ir?

Y tendría que tratar de explicarles en forma no muy exacta, la razón de su ausencia.

Por fin llegó el día de la excursión. "Este será el día más difícil de todos", pensó Juan. "¡Todos mis compañeros se irán de paseo y yo me quedaré!"

De pronto el cartero llamó a la puerta esa mañana. Traía una carta para Juan. Era de un familiar que vivía en una isla del Caribe. La carta contenía un cheque por cuarenta pesos, exactamente cuatro veces más de lo que Juan le había pagado al Señor en diezmos. Juan pudo ir al paseo. Y, sin duda, era el muchacho más feliz de todos. Las ventanas de los cielos se le habían abierto de nuevo en forma tan amplia como es el amor de Dios.

HISTORIA **9**

El Corderito Desobediente

NUEVA ZELANDA es un grupo de dos grandes islas de Oceanía en las que abundan las ovejas. Se pueden ver ovejas por donde quiera que uno vaya: en las colinas, en los valles y en las carreteras.

Las ovejas siempre gozan de preferencia en las carreteras. Es una ley que todos deben obedecer. Cuando uno se encuentra con un rebaño de ovejas debe detener su auto y dejar que pasen tranquilamente.

Me dijeron que un buen pastor puede decir, después de una rápida mirada al rebaño, cuántas ovejas tiene. Quizá sea

así. Pero yo no podría decir cuántas ovejas había en un rebaño que encontré en la carretera entre Christchurch y Dunedín, ciudades de Nueva Zelanda. Aún no sabría calcular si había dos mil o tres mil ovejas en esa inmensa manada. Yo podía ver ovejas por dondequiera que dirigiera mi vista.

Había dos pastores y un perro que cuidaban este gran rebaño; o quizá, mejor debiera decir que las cuidaban un perro y dos pastores, porque el perro parecía que hacía todo el trabajo.

¡Hubieras visto ese perro! ¡Parecía que estaba en todas partes al mismo tiempo corriendo en una dirección y otra, y manteniendo su mirada atenta sobre la oveja más apartada, para que ninguna se extraviara ni se saliera del camino!

Cuando el rebaño llegó a donde estaba mi auto, se dirigió hacia un camino de la izquierda que conducía a unas colinas donde había pastos muy verdes. Y pensé: "Seguramente algunas de estas ovejas seguirán derecho y no cruzarán en este lugar". Pero no fue así porque el perro estaba atento al movimiento de cada una de ellas. Se dirigía a todas partes con la velocidad de un rayo. Les ladraba a las ovejas y las empujaba suavemente hacia el camino de la izquierda.

En esta forma los cientos y cientos de ovejas pasaron delante de mí. Nunca podré olvidar esa escena.

Cuando las observaba pensé en lo buenas que eran estas ovejas que siempre hacían exactamente lo que se les ordenaba, sin que ninguna de ellas causara el menor problema. "¿No sería maravilloso —pensé— que los niños se comportaran en esta misma manera?"

Bueno, pero... no todas estas ovejas se portaron bien.

Cuando la última de las ovejas cruzó hacia el camino de la izquierda, y todos los conductores que estaban esperando en la carretera encendieron los motores para continuar su marcha, un corderito de pronto se volvió y corrió hacia la carretera.

El corderito se dirigió hacia donde estaban los autos, corrió entre ellos, y a lo largo de la carretera que habían abandonado las ovejas.

Quizá pensó que, siendo que estaba entre los últimos del rebaño, ninguno se iba a dar cuenta de que se había salido.

Como el perro estaba muy ocupado con las ovejas de adelante, el corderito aprovechó esta oportunidad para escaparse.

Pero el perro lo sorprendió con un rápido movimiento.

¿Cómo hizo el perro para darse cuenta de los movimientos de este corderito desobediente? Aún no lo sé. Pero el perro cumplió con su deber. Y lo hizo regresar al rebaño en menos tiempo del que he empleado en contártelo a ti. Si el corderito vacilaba y se resistía el perro se pegaba a él, ¡y hubieras visto tú la cara que le ponía para que obedeciera! Daba susto.

Por fin el corderito regresó al rebaño. Los pastores continuaron su camino y los autos se alejaron.

Mientras seguía mi camino pensé en el corderito desobediente y en la manera en que se parece a algunos niños.

Hay jovencitos que siempre están criticando y molestando a la maestra. Hay niñas que se complacen continuamente en hacer su propia voluntad, y en contrariar los planes de sus mamás, con lo que les causan problemas. ¿Conoces tú a niñas y niños como éstos? ¿Eres tú semejante al corderito desobediente? ¡Espero que no sea así!

HISTORIA **10**

La Historia de los Vuelos

¿NO HAN deseado ustedes alguna vez poder volar como las aves? El rey David lo deseó, pues él declara: "¡Quién me diese alas como de paloma!" (Salmo 55: 6).

Muchos años antes de que se pensara en fabricar aeroplanos, muchas personas intentaron remontarse por el aire y volar. Generalmente se amarraban a los brazos unas grandes alas y subían a una montaña o a un lugar elevado con la esperanza de comenzar a volar lanzándose al vacío y agitando las alas. Bueno, sobra decir que todos estos intentos terminaron en un fracaso.

Los dos hermanos Montgolfier, de Annonay, Francia, tuvieron una brillante idea en 1792. Habían observado el movimiento de las nubes, y de pronto se les ocurrió la idea de que si ellos pudieran colocar dentro de una bolsa larga y liviana algo parecido a una nube, esto se elevaría con la bolsa y ambos volarían.

Así que hicieron un globo grande, y colocaron la boca de éste cerca de un gran fuego para que se llenara de humo. Para sorpresa y alegría de estos dos jóvenes el globo se elevó. Ellos creyeron que el humo era lo que había elevado el globo. Pero algún tiempo después se dieron cuenta de que lo que había hecho el "milagro" de elevar el globo no era el humo, sino el aire caliente que contenía.

Los dos hermanos hicieron experimentos vez tras vez hasta que, por fin, animados por el éxito que habían tenido, decidieron fabricar un globo bien grande para volarlo públicamente. El 5 de junio de 1783 llevaron su globo a un lugar amplio hasta una gran altura, y permaneció allí por unos diez minutos; luego descendió a unos mil seiscientos metros de distancia.

Los espectadores estaban maravillados, y la noticia se esparció rápidamente por todas partes. ¡Nada semejante había sucedido antes! Se hizo una colecta pública para pagar a los dos hermanos los gastos de una nueva demostración.

Los primeros viajeros aéreos fueron una oveja, un gallo y un pato, los cuales fueron encerrados en una jaula que se aseguró en uno de los globos. Este vuelo con los animales se hizo en presencia del rey y de la reina de Francia el 19 de septiembre de 1783. Los tres animales permanecieron en el aire por ocho minutos. Cuando descendieron no habían sufrido daño alguno, excepto que la oveja le había lastimado el ala derecha al gallo.

Casi un mes más tarde después de este experimento de los hermanos Montgolfier, voló por primera vez un ser humano. El primer hombre que voló se lla-

maba Rozier. Era francés, y cumplió su hazaña el 15 de octubre de 1783. Para lograrlo voló en un globo inflado con aire caliente, el cual mantuvo sujeto a tierra con una larga cuerda. Rozier repitió su experimento varias veces y demostró que era posible llevar fuego en el globo para mantenerlo largo tiempo en el aire. Este hombre adquirió suficiente confianza, y se arriesgó a volar sin estar sujeto a cuerda alguna haciéndolo casi a la deriva. Luego aterrizó sano y salvo. Esta hazaña tuvo lugar el 21 de noviembre de 1783.

La afición por volar en globos se extendió de Francia a Inglaterra. En Londres, la capital de este último país, volaron el 25 de noviembre de 1783 el primer globo con hidrógeno, el cual tenía casi tres metros de anchura. Este acontecimiento causó mucho entusiasmo.

En los primeros meses del año siguiente elevaron en Kent, Inglaterra, un globo que debía cruzar el Canal de la Mancha y aterrizar en Warneton, Francia. Y así sucedió.

Seis meses más tarde Escocia vio elevar su primer globo. Cientos de curiosos observaron cómo Tyler se elevaba en la ciudad de Edimburgo, la capital.

Mientras Tyler hacía sus experimentos en Escocia, un hombre llamado Vicente Lunardi se preparaba en Londres para efectuar un vuelo. Su globo despertó muchos comentarios, y la exaltación crecía por momentos. Una inmensa multitud se congregó para presenciar el ascenso.

Lunardi llevó consigo una paloma y un gato. El globo estaba equipado con unos remos, con los cuales esperaba dirigirlo. Durante el vuelo la paloma se escapó y uno de los remos se quebró y cayó a tierra. Una mujer, creyendo que era Lunardi el que caía a tierra, se desmayó y murió poco después.

En el momento del vuelo la corte estaba juzgando un caso importante; pero cuando el globo se elevó, el tribunal pronunció rápidamente su veredicto: "¡Inocente!"; y todos salieron apresuradamente para contemplar el vuelo. El rey se encontraba reunido con sus consejeros, pero cuando el globo apareció en el aire, se suspendió la deliberación.

El Dr. Juan Jeffries y Juan Pedro Blanchard fueron los primeros en cruzar en un globo el Canal de la Mancha, lo cual fue una experiencia muy emocionante para ellos. Se em-

Alrededor de 1784, Lunardi sobrevoló Londres en un globo.

barcaron en Dover, Inglaterra, el 7 de enero de 1785. Cuando habían navegado un tercio de la distancia, el globo comenzó a descender. Inmediatamente comenzaron a echar abajo todo cuanto podían. El globo se elevó de nuevo; pero, cuando faltaba apenas una cuarta parte del recorrido, comenzó a bajar de nuevo. Ya se acercaban al agua cuando decidieron quitarse la ropa y arrojarla, y el globo se elevó una vez más. El viento los llevó a lo largo de la costa francesa, y más tarde descendieron en un bosque, casi helados, pero felices. Su fama se extendió por todas partes.

En los años siguientes se construyeron globos mucho más grandes. En 1836 uno de estos globos fue elevado en Londres, y descendió en Nassau, Alemania, después de volar 18 horas. Este globo, al cual llamaron el "Gran Nassau", fue llevado de nuevo a Inglaterra, en donde lo utilizaron en otros vuelos.

En 1863 una pequeña casa de mimbre fue adherida a un enorme globo. En ella había una pequeña imprenta, un departamento de fotografía y servicios sanitarios. Además había trece personas y suficiente alimento para un largo viaje. Pero el vuelo terminó dos horas después debido a un accidente.

A pesar de todo, catorce días más tarde, hubo otro vuelo. En esta ocasión el globo se mantuvo en el aire durante diecisiete horas y viajó unos 160 kilómetros. Cuando estaba aterrizando fue azotado por un viento muy fuerte, el cual lo arrastró, y todos los ocupantes resultaron heridos.

Desde el día en que se elevó el primer globo, los inventores trataron de idear un medio que los impulsara por el espacio sin que estuvieran a merced del viento. Ensayaron diversos remos e impulsadores, pero sin éxito alguno. Incluso utilizaron pequeñas máquinas de vapor para impulsar las hélices, pero esto era demasiado peligroso: una chispa hubiera sido suficiente para encender el gas del globo y reducirlo a cenizas. En 1872 un inventor voló con ocho trabajadores para que le impulsaran la hélice, pero no pudo volar contra el viento.

Uno de los primeros dirigibles, del tipo de los que construyó Zeppelín.

La invención de motores que funcionaban con gasolina resolvió finalmente el problema de impulsar los globos en el aire. Estos motores combinan su gran fuerza con su poco peso, lo cual los hace muy apropiados para este trabajo. Las primeras pruebas con ellos no tuvieron mucho éxito, y hubo algunos accidentes graves. En 1897 el Dr. Wolfert pereció en la explosión de un motor de gasolina que utilizaba en un vuelo.

El conde alemán Fernando Zeppelín comenzó sus experimentos en 1897. Su plan era construir un globo con una estructura liviana de aluminio e impulsarlo con motores de gasolina. En 1900 probó su primer invento con un vuelo de cinco kilómetros y medio, distancia que cubrió en diez minutos. Continuó perfeccionando su globo, y durante la Primera Guerra Mundial sus "zeppelines" volaron largas distancias y cumplieron misiones importantes.

Luego se construyeron otras naves aéreas poderosas que cruzaron vez tras vez el océano Atlántico. Pero no se hicieron

más porque muchas de ellas sufrieron accidentes. Con todo continuaron los experimentos y las investigaciones.

Las máquinas más pesadas que el aire resultaron ser más rápidas y seguras. Hoy se nos hace difícil creer que en los comienzos de nuestro siglo XX no hubiera una máquina que pudiera levantarse con su propia fuerza y transportar a un hombre. Sin embargo esto no sucedió hasta que los hermanos Wilbur y Orville Wright, en 1903, construyeron su rústica máquina voladora, y la equiparon con un motor movido por gasolina. Este motor fue lo que hizo que el primer aeroplano tuviera éxito en volar.

Antes de estas ocasiones hubo muchos experimentos y se construyeron muchas máquinas para volar, pero la dificultad para elevarlas consistía en que no había un motor poderoso y suficientemente liviano como para impulsarlas y elevarlas.

Se probaron los motores movidos con vapor, pero el agua, la maquinaria y el combustible para calentarlos eran demasiado pesados.

Cuando se inventó el motor de explosión, casi inmedia-

tamente se probó en los aeroplanos. Los motores de esta clase fueron la causa del éxito del vuelo histórico de los hermanos Wright en Kitty Hawk, Carolina del Norte, Estados Unidos de Norteamérica, así como de otros que los siguieron más tarde. A partir de este momento se avanzó muy rápidamente en la construcción y perfeccionamiento de los aeroplanos.

En la Primera Guerra Mundial los aeroplanos —que actualmente llamamos más bien aviones— fueron usados tanto para el ataque como para la defensa, lo cual hizo que los resultados fueran más desastrosos. En 1927 el coronel Carlos Lindbergh efectuó el primer vuelo sin escalas sobre el océano Atlántico.

El poder aéreo fue decisivo en el resultado final de la Segunda Guerra Mundial. Poco antes de terminar esa guerra se comenzaron a utilizar los aeroplanos de propulsión o jets, y pronto éstos adquirieron una creciente importancia en el transporte de carga y pasajeros.

hermanos Wright hicieron su primer vuelo aéreo éxito en 1903, en Kitty Hawk, Carolina del te.

ERG

Actualmente el correo y los servicios de carga por vía aérea son posibles en casi todo el mundo y un avión de pasajeros moderno puede transportar a varios cientos de personas a través de los mares y los continentes. Un viaje alrededor del mundo puede efectuarse, si se desea, en menos de tres días.

Esto no es todo. Hay aviones que vuelan con más rapidez que el sonido, y helicópteros de todos los tipos y tamaños; y los aviones pequeños y privados se están utilizando ahora como nunca antes. Y quién sabe si andando el tiempo, los niños y las niñas irán a la escuela en aeroplanos especiales.

Los jovencitos aficionados al aeromodelismo sueñan a menudo con poder manejar algún día un moderno avión de pasajeros, y algunos de ellos aun con volar en órbita alrededor de la tierra y la luna, y aun remontarse a las estrellas.

Pero lo mejor de todas las cosas es que todo el que ame a Jesús de todo corazón, y se encuentre listo para recibirlo cuando él venga por segunda vez, podrá participar en un vuelo por el universo hasta el trono de Dios.

¿No te gustaría participar en ese vuelo entre todos los astros, acompañado por Jesús y los millones de salvados?

141

HISTORIA **11**

Atrapado por las Aguas

HASTA ahora he narrado tantas historias de jóvenes tan diferentes unos de otros, que quizá sea tiempo que cuente una acerca de mí mismo.

En mi Biblia, al lado de cierto texto, están escritas estas tres palabras: "North Uist Ford"; y cada vez que las veo viene a mi mente el recuerdo de la aventura más emocionante de mi vida.

Hace muchos años (no podría decir cuántos), cuando yo era un muchacho de quince años, decidí asistir a un colegio que preparaba misioneros. A fin de poder conseguir los recursos para estudiar, hice arreglos con una casa publicadora para vender sus libros durante las vacaciones.

A pesar de mi corta edad no desconfiaron de mí, y me enviaron a las islas Hébridas, sitio bastante lejano de la costa noroeste de Escocia. Pronto me encontré en ese lugar de pocos habitantes andando en bicicleta sobre un terreno árido y barrido por vientos constantes. Día tras día visitaba los hogares haciendo lo mejor que podía para interesar a la gente en los libros que les ofrecía.

Durante unas semanas viví en Stornoway, y desde allí salía todos los días en mi bicicleta para visitar los pueblos más distantes. Era una jornada muy cansadora: ¡veinte kilómetros

sin ver una sola casa, y a menudo con el rostro azotado por el viento y la lluvia durante todo el trayecto! Cada día iba un poco más lejos, hasta que visité todos los hogares y llegué al extremo norte de las islas en donde se encontraba el faro para guiar las embarcaciones. El hombre que cuidaba este lugar era muy amable. Lo recuerdo muy bien porque me compró un libro.

Después de hacer lo mejor que pude en estas islas viajé en un bote a una isla cercana que se llama North Uist Ford. Allí me hospedé en una casa pequeña de techo de paja en que las ratas andaban toda la noche alrededor de mi cama.

En esta isla hay un camino circular, y yo caminaba y andaba en mi bicicleta por los lugares más extraños y apartados en donde no se había intentado antes vender libros.

Por fin terminé mi trabajo en esta isla, y me preguntaba qué haría después. Así que comencé a explorar la zona del sur, pues me habían dicho que para poder viajar por tierra a la próxima isla sólo tenía que esperar que bajara la marea. Esta idea me pareció muy buena porque así me ahorraría el alquiler de un bote o el pasaje en una embarcación.

Una mañana bajé al lugar del paso, y lo observé cuidadosamente. La marea había bajado bastante, y desde cierta distancia parecía que todo lo que tenía que hacer era caminar hacia una pequeña isla que estaba en el centro del paso, y luego continuar caminando hasta llegar a la isla que quería visitar. Pero cuando me acerqué más me di cuenta de que no sería tan fácil como me había parecido. En la arena aún corrían arroyos de tres a seis metros de ancho. No podría decir cuán profundos eran. De todos modos pensé que debía quitarme rápidamente los zapatos y comenzar a vadear parte del camino.

De pronto vi a dos hombres que comenzaban a cruzar el paso. Los observé por unos instantes, fijándome cuidadosamente en dónde pisaban al cruzar los arroyos. También noté que caminaban muy aprisa, pero en ese momento no me di cuenta por qué lo hacían. Pensé que quizá tenían negocios urgentes que hacer en el otro lado. Pero había aún una razón más poderosa que yo ignoraba.

Me quité los zapatos y las medias, me los coloqué alrededor del cuello, y seguí a los hombres. Me fue fácil cruzar el primer arroyo porque recordaba bien por dónde habían pasado, y el agua tenía muy poca profundidad. Pero cuando

llegué al arroyo siguiente no estaba seguro por dónde seguir avanzando; y cuando entré en él era más hondo de lo que yo esperaba. Retrocedí; me arremangué los pantalones por sobre las rodillas e hice otro intento de cruzarlo. Pero el agua era aún muy profunda. Sin embargo, no me sentía preocupado; y caminé de arriba abajo hasta que vi un lugar seguro para cruzar.

Cuando llegué al tercer arroyo —poco más o menos a la mitad del camino— comencé a sentirme un poco temeroso, pues el camino era más largo de lo que me había parecido al comienzo. Pero aún no me había dado cuenta del terrible peligro que corría.

En ese momento yo casi había olvidado completamente por dónde habían pasado los hombres, y tenía que valerme de mis tanteos aquí y allá para encontrar aguas poco profundas. Pero no pude hallarlas.

Entonces noté que el agua del mar ya no estaba quieta como al principio. La marea se estaba elevando rápidamente. Restos de algas marinas, pedazos de madera y espuma de las olas comenzaron a flotar de nuevo. ¡La marea se elevaba rápidamente!

Miré hacia el mar, y nunca olvidaré lo que vieron mis ojos: en lugar de un ancho paso de arena, el agua, impulsada por la marea alta, volvía de nuevo. Me parecía, y es una impresión que nunca olvidaré, que todo el inmenso océano Atlántico se venía sobre mí.

La isla de arena sobre la cual yo había estado momentos antes se ponía más y más pequeña a medida que la cubrían las aguas. El canal de paso en el cual yo estaba se tornaba cada

vez más profundo. ¡En pocos minutos el lugar en que me encontraba sería cubierto por aguas profundas! Me di perfecta cuenta de que debía actuar rápidamente, o de lo contrario sería arrastrado por las turbulentas aguas. No había tiempo que perder.

¿Pero qué podía hacer? Si no pude dar con el camino

correcto cuando el paso estaba casi vacío, ¿cómo podría hallarlo ahora que tenía dos veces más agua y la arena revuelta se movía en todas direcciones?

Pero a pesar de todo, en medio de esta situación desesperada, sentí que Dios me ayudaría. No era el momento de elevar una larga oración. Cada momento era precioso. Recuerdo que le pedí a Dios que me guiara. Y utilizando todas las fuerzas y el valor que me quedaban me lancé al agua.

Ahora no tenía razón alguna para cuidar de mis pantalones. El agua llegó a las rodillas, a la cintura; y no cesaba de subir a medida que me internaba en el canal de paso. ¿No cesarían mis pies de descender más y más hacia abajo? Por un momento me pregunté si no había cometido un error, y si no sería mejor volverme y tratar de encontrar el camino de regreso. Pero una mirada atrás me convenció que tal proceder no era posible. La arena se hallaba totalmente cubierta por el agua y no podría dar con los lugares llanos.

Avancé. La profundidad crecía sin detenerse. ¿Sería esto el fin de todo?

¡Ah! ¡Por fin el fondo comenzaba a levantarse de nuevo! "¡Sí —pensé con gran alivio—, debo encontrarme en la mitad del camino!" El agua era menos profunda. Pero aún había otros canales que cruzar, y todos se hallaban cubiertos por el agua. No sé todavía cómo pude encontrar el camino en medio de ellos. Lo que sí recuerdo es que, con el agua a la cintura, andaba de acá para allá y tanteaba con lo pies los lugares llanos, mientras veía cómo las aguas del Atlántico se precipitaban sobre mí. Pero di con el camino correcto; de no haber sido así, no estaría escribiendo esta historia.

Por fin llegué a la orilla hacia la cual me había dirigido tan confiadamente casi una hora antes. ¡Ya podrán imaginarse mi apariencia cuando llegué con la ropa empapada!

Un anciano se acercó y me comentó, ¡como si yo no lo supiera!, acerca de la escapada tan difícil y peligrosa que yo había tenido. El me había estado observando todo el tiempo, y estaba seguro que yo no saldría con vida de aquel peligro. Era un señor muy amable. Luego buscó a alguien que tenía un bote para que yo regresara sano y salvo. En el hospedaje sequé mi ropa y agradecí a Dios por la forma en que me había salvado.

Ahora comprenderán por qué marqué un texto de mi Biblia con estas tres palabras: "North Uist Ford". El versículo, mejor aún, los versículos son los números 2 y 3 del capítulo 43 de Isaías. Dicen así:

"Cuando pases por las aguas, yo estaré contigo; y si por los ríos, no te anegarán... Porque yo Jehová, Dios tuyo ..., soy tu Salvador".

HISTORIA **12**

La Pequeña Sombra

CUANDO caminamos en un día brillante y lleno de sol y miramos a nuestro alrededor, ¿qué es lo que vemos? Una sombra, ¿verdad? Y si tratamos de huir de ella, ¿qué sucede? Bueno, corre con igual rapidez que nosotros. Y por más que nos esforzamos, no podemos librarnos de ella. ¿Por qué? Porque es nuestra sombra: nos pertenece.

Reinaldo tuvo una experiencia muy interesante, aunque un poco diferente, porque tenía dos sombras.

La primera sombra es la que tienen todas las personas no importa su edad, y que siempre nos acompaña; y la otra era... ¿pueden imaginárselo ustedes? Bueno... ¡era una hermanita menor! Era imposible separarlos. Dondequiera que él iba, ella lo acompañaba. Todo lo que él hacía, ella lo imitaba. No importaba lo que él dijera, ella lo repetía. Esta fue la razón por la cual Reinaldo la llamaba "mi sombrita".

¿Molestaba esto a Reinaldo? No; de ninguna manera. El estaba muy contento de tener una sombra viva y real como ésta. Reinaldo, un muchacho grande, fuerte, de nueve años de edad, pensaba que no podía existir en el mundo una criatura tan dulce y bonita como su querida y pequeña hermanita; y ella, con sólo cuatro años de edad, lo contemplaba como el

ndo Reinaldo regaba el jardín, su hermanita se suraba a buscar su regaderita y se ponía a regar bién. Ella hacía todo lo que su hermano hacía.

TERLEE

más maravilloso hermano mayor que cualquier hermanita pudiera tener.

¿Y cómo era que siempre estaban juntos? Ustedes quizá pensarán que estaban unidos por una cuerda; pero no, no era así. Lo que los mantenía unidos era el lazo del amor.

Si Reinaldo se subía a un manzano, su hermanita lo seguía tan alto como podía. Si él cogía una manzana, ella hacía otro tanto; y cuando él se bajaba del árbol, ella hacía lo mismo.

Cerca de la puerta del huerto estaba el tronco de un árbol que había sido cortado tiempo antes. Si Reinaldo se sentaba

en una de sus raíces, su hermanita se sentaba en otra.

Si Reinaldo decía: "Voy a jugar en la arena", su hermanita agregaba: "Y yo también". Y ambos se iban con sus cubos y pequeñas palas a jugar.

Siempre estaban juntos, ya fuera en el juego o en el trabajo. Cuando Reinaldo iba a barrer el porche y las escaleras, lo cual era uno de sus trabajos diarios, su hermanita tomaba una escoba y barría con tanto empeño como su hermano. En este caso, el único problema era que ella no siempre barría en la dirección correcta; pero a Reinaldo esto lo tenía sin cuidado, pues para él era muy divertido ver cómo su hermanita se esforzaba para hacer lo mejor posible y ayudarlo.

Cuando Reinaldo regaba el jardín con su cubo o balde grande, ella hacía lo mismo con uno pequeño. Ambos pasaban un tiempo muy divertido hasta que sus ropas y sus zapatos estaban tan mojados como las plantas; luego su madre los llamaba para que se los cambiaran y los secaran.

A Reinaldo le gustaba leer, y cuando se sentaba a hacerlo, en pocos minutos su hermanita estaba a su lado con un libro haciendo lo mismo que él. Por supuesto que ella no podía leer, pero le encantaba imitar a su hermano mayor. Lo más gracioso era que si Reinaldo comenzaba a leer en voz alta, su hermanita también "leía" en la misma forma, pero lo que decía era lo primero que se le venía a la mente, lo cual no era poco.

Reinaldo tenía la costumbre de orar cada mañana; y apenas se arrodillaba cerca de una silla, ella se dirigía rápidamente al mismo lugar y se arrodillaba junto a él. Ambos oraban. Los ángeles deben haberse inclinado para captar cada preciosa palabra que ella decía, aun cuando no siempre lo hacía en forma hilvanada y correcta.

Pero en el comedor era donde la hermanita hacía sus más graciosos esfuerzos para imitar a su hermano. Ella vigilaba todos sus movimientos y en seguida los repetía, ya fueran buenos o no muy buenos, corteses o no corteses. Por ejemplo, si Reinaldo se olvidaba de los buenos modales por un momento y se llenaba la boca demasiado, era seguro que su

hermanita a los pocos segundos tuviera la boca repleta. Si su hermano comía el alimento tomándolo con el cuchillo, su hermanita hacía otro tanto, hasta que la madre intervenía, y les decía cuán incorrecta era esa forma de comer.

Algunas veces Reinaldo decía: "No me gustan los nabos y las remolachas". En seguida se escuchaba un eco en la mesa: "No me gustan los nabos y las remolachas". Era seguro que si Reinaldo murmuraba, desconforme, en cuanto a la comida, ella hacía lo mismo, no porque tuviera el mismo gusto de su hermano, sino por el afán de imitarlo. Si a Reinaldo no le agradaba el olor o la apariencia de la torta que había sobre la mesa, ella mostraba también el mismo desdén. No importaba de qué se tratara, imitaba a su hermano en forma perfecta.

Un día Reinaldo se dio cuenta de cuán grande era su responsabilidad. Viniendo de la escuela se puso a jugar con unos muchachos toscos y groseros, y en forma descuidada dejó escapar una palabra indebida. Inmediatamente escuchó que su hermanita la repetía. Por supuesto, ella no tenía la más mínima idea de lo que estaba diciendo, de si era una palabra vulgar o no; pero cuando salía de sus labios tiernos e inocentes sonaba de un modo terrible. Reinaldo se sintió confundido. ¡Pensar que él, su hermano mayor, que la amaba tanto, pudiera haberle enseñado a pronunciar una palabra tan baja!

Entonces meditó en la manera en que ella lo imitaba; en cómo ella era siempre su "pequeña sombra" por dondequiera que él andaba. Y allí mismo tomó la resolución inquebrantable de que nunca más haría o diría cosa alguna que fuera un mal ejemplo para ella. Si su hermanita estaba lista para seguirlo en todo, él la conduciría por el camino correcto. Reinaldo había empezado a ver la importancia de los principios que su padre le había enseñado:

"Seré veraz, porque hay otros que confían en mí.
Seré puro, porque hay muchos que me observan.
Seré fuerte, porque hay muchos a quienes ayudar.
Seré valiente, porque hay muchas cosas que enfrentar".

"Hay otros que confían en mí —se repetía Reinaldo a sí mismo constantemente—, y ninguno tanto como mi hermanita; por eso debo ser veraz, puro, fuerte y valiente para darle un buen ejemplo".

No hay duda de que Reinaldo se propuso hacer lo mejor, y lo logró.

HISTORIA **13**

Lluvia Sobre una Fiesta

ESTA historia me la contó una niña muy simpática llamada Carmencita, la cual vivía en un país de Sudamérica.

Un día Carmencita llegó a su hogar y encontró que su mamá, que era maestra en una escuela de iglesia, estaba muy desanimada porque nunca había suficiente dinero para comprar lo que necesitaba la escuela. Se necesitaban escritorios, sillas, libros; había que pintar la escuela, y debían hacerse muchas otras cosas más; pero la junta directiva de la escuela siempre respondía: "No; no hay dinero".

Era una situación muy desalentadora; y en algunas ocasiones la madre sintió deseos de abandonar su trabajo en la escuela.

—No hay razón para continuar así —le dijo a Carmencita, que tendría unos doce años—. No puedo seguir trabajando en esa forma. Además, no es bueno para los niños.

—Mamá —le respondió la niña—, ¿y por qué nosotras no tratamos de conseguir algún dinero?

—No, hija —respondió la madre—, nosotras no podremos hacerlo. Ya se lo ha intentado hacer en otras ocasiones, y no ha dado resultado.

—Déjame hacer la prueba —le pidió Carmencita a su

madre—. Prepararé una reunión social, la amenizaré con un concierto de música sagrada, e invitaré a un gran número de personas. También les venderé buena comida; y con las ganancias de esta reunión tendrás el dinero para comprar las sillas, los libros y la pintura que necesitas.

—Muchas gracias, querida—le dijo la madre—. Eres muy bondadosa. Pero piensa un poco en el trabajo que debe hacerse. Tú sola no podrías hacerlo. Y yo estoy muy ocupada ahora para encargarme de otras cosas.

—Yo me encargaré de que todo funcione bien—respondió la niña—. Haré que mis amigos me ayuden; y tú no tendrás que hacer nada.

Carmencita estaba tan segura de poder hacerlo y de que Dios la ayudaría a tener éxito con la reunión, que la madre finalmente le dijo que podía hacerla cuando quisiera.

Carmencita comenzó inmediatamente a hablar a sus amistades acerca de la reunión. A todos les pareció muy buena la idea, y le prometieron llevar comida y ayudársela a vender.

Animada por este buen comienzo, envió invitaciones a casi todos los habitantes del pueblo. También los instaba a que asistieran al concierto y disfrutaran de la comida que se iba a servir.

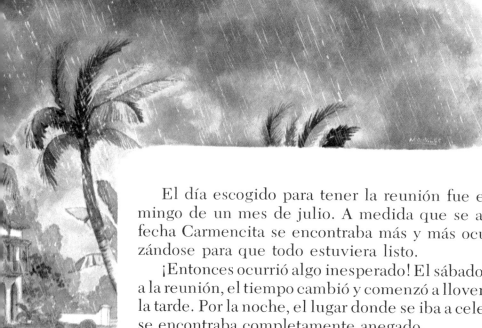

El día escogido para tener la reunión fue el último domingo de un mes de julio. A medida que se acercaba esta fecha Carmencita se encontraba más y más ocupada, esforzándose para que todo estuviera listo.

¡Entonces ocurrió algo inesperado! El sábado, día anterior a la reunión, el tiempo cambió y comenzó a llover. Llovió toda la tarde. Por la noche, el lugar donde se iba a celebrar la fiesta se encontraba completamente anegado.

—¡Qué lástima! —dijo la madre—. Temo que vas a tener que postergar la fiesta para otra ocasión. Ninguno vendrá con un tiempo como éste y con el terreno tan húmedo.

—No —dijo Carmencita—, no la voy a postergar. Seguiré adelante con la reunión y todo saldrá bien. Sé que será así. Dios me dio la idea de celebrar esta reunión, y él no permitirá que fracase. Estoy segura de eso.

El domingo amaneció radiante y hermoso. El sol brillaba en todo su esplendor. Todo prometía un día perfecto.

¡Carmencita estaba que no cabía en sí de alegría!

—¡Mamá, yo te lo dije! —se expresó la niña alegremente—. ¡Yo sabía que todo saldría bien! ¡Todos vendrán a la fiesta!

Luego arregló un fogón o cocina al aire libre para preparar y calentar algunos platos que debían servirse calientes. Esta parte —creía ella— permitiría conseguir la mayor proporción del dinero para los proyectos de la escuela.

Estaba muy animada. De pronto apareció una nube oscura y amenazante que cubrió el sol.

—Parece que habrá una gran tormenta —dijo la madre—. Mejor es que entres todo lo que está afuera.

—No, mamá —respondió la niña—. Dejaré todo como está. Tengo fe en que no lloverá hoy. Yo sé que Dios contesta nuestras oraciones.

—¿Pero acaso no ves que el cielo está totalmente oscuro? —observó la madre—. En pocos minutos estará lloviendo.

—Yo puedo verlo —respondió Carmencita—, pero Dios está detrás de esas nubes negras, y él no permitirá que llueva.

En su carta Carmencita me contaba lo que había sucedido. Ella recordó otras historias que habíamos escrito anteriormente en las cuales los niños habían pedido ayuda a Jesús en tiempo de necesidad. Entonces, mientras observaba la nube y el cielo oscuro, oró y oró para que no lloviera.

Carmencita siguió adelante con sus preparativos, segura de que Dios no permitiría que la lluvia perjudicara la reunión.

Y no llovió. Las nubes negras desaparecieron poco a poco, y el sol brilló de nuevo. Pero ya era un poco tarde.

La nube había atemorizado a las personas y nadie había venido al lugar de la reunión.

Era una situación muy triste. Carmencita apenas si podía contener las lágrimas.

¡Tanta comida, y no había quien la comprara y la comiera!

—No deberías haber preparado tanta —le dijo la madre—. Te dije que esto podía suceder con un tiempo como el que tenemos.

—Todo saldrá bien —respondió la niña conteniéndose para no llorar—. Estoy segura. Si Dios alejó la nube, él también puede hacer venir a las personas, ¿verdad?

La tarde pasó lentamente, y sólo unas pocas personas llegaron. A las seis de la tarde casi toda la comida aún estaba sin vender.

El concierto de música sagrada preparado por Carmencita y sus amigos comenzó a escucharse. Se entonaron cantos sobre Jesús y su amor y, lo más sorprendente de todo, es que la gente empezó a llegar y a ocupar los asientos vacíos.

Cuando el concierto llegó a su fin, alguien comentó:

—Tengo hambre. ¿Hay todavía algo que comer?

—Sí —dijo alegremente Carmencita—. Hay suficiente

para todo el que desee comer.

Parecía que todos empezaron a tener hambre al mismo tiempo. Se acercaron a las mesas en que estaba la comida, y ésta desapareció en poco tiempo. ¡Se había vendido todo!

En esta forma la madre consiguió todo el dinero que necesitaba para la escuela, y Carmencita aprendió algo más acerca del poder de la oración.

—¡Mamá —dijo la niña—, estoy tan contenta de no haber perdido la fe cuando Dios no contestó mis oraciones en la forma en que yo quería sino en una forma diferente! Le pedí que trajera la gente a la fiesta, pero él sabía que tal fiesta no era necesaria. En cambio, trajo el dinero y la gente al concierto de música sagrada.

HISTORIA **14**

La Recompensa de Pedro

DURANTE muchos meses —que le parecieron años—, Pedro había deseado tener un tren eléctrico. Dondequiera que veía uno en una tienda de juguetes lo contemplaba todo el tiempo que la madre le permitía estar frente a la vidriera. El pensaba que sería el niño más feliz del mundo el día que tuviera un tren eléctrico.

En repetidas ocasiones se había acercado a su padre para decirle: "Papá, ten la bondad de comprarme un tren eléctrico para mi cumpleaños", o, "Papá, yo quiero que me des un tren eléctrico como regalo de Navidad". Pero siempre recibía la misma respuesta: "Lo siento, hijo, ése es un juguete demasiado caro. No podría comprártelo, a pesar de que me gustaría hacerlo".

Pedro tendría entonces que seguir deseando el tren eléctrico, y algún día, quizá, podría él mismo comprarse uno. La única dificultad era que Pedro nunca tenía dinero, porque si alguna persona le daba unos centavos, los gastaba inmediatamente en golosinas o en alguna otra cosa que había visto y, por supuesto, en esta forma no podía ahorrar para comprar un juguete tan costoso como un tren eléctrico.

Un día Pedro llegó corriendo a la casa desde la escuela. Estaba muy emocionado.

—¡Papá! —gritó—, hay un muchacho en la escuela que tiene un tren eléctrico, y quiere venderlo. ¿Puedo comprarlo?

—Claro que puedes hacerlo —le respondió su padre—; si tienes dinero, claro está.

Como podemos ver, el padre conocía muy bien la debilidad de su hijo para gastar el dinero. Siempre decía que Pedro parecía tener agujeros en los bolsillos.

—No tengo dinero —gimió Pedro cabizbajo—. Nada, excepto los diez centavos que me diste ayer.

—¿Y cuánto pide el muchacho por el tren? —le preguntó el padre.

—Solamente veinte dólares —respondió Pedro—; y él asegura que es barato porque lo entrega completo.

—¡Veinte dólares! —exclamó el padre—. Debe ser más barato. Veinte dólares es mucho dinero en este tiempo. Temo que tus diez centavos no te sirvan de mucho en esta ocasión.

—Eso mismo pienso yo —gimió Pedro.

—Pedro, ¿sabes cuántas monedas de diez centavos hay en veinte dólares? —le preguntó su padre.

—No —respondió—, nunca he sacado la cuenta.

—Bueno, hay doscientas —le dijo el padre.

—¡Oh! —exclamó Pedro—. ¡Eso son muchas monedas! Pero papá, yo pienso que quizá tú querrás... comprar el tren.

—¡No, hijo, gracias! —le respondió el padre—. Yo no necesito un tren eléctrico. Gracias por tu propuesta.

Pedro pensó inmediatamente que debía utilizar otra táctica con su padre.

—Si yo comenzara a ahorrar doscientas monedas de diez centavos... —comenzó a decir el niño.

—¿Eh? —lo interrumpió el padre con una sonrisa—. ¿Ahorrar tú doscientas monedas de diez? ¿Cómo? ¡Si nunca has podido ahorrar ni media docena de ellas!

—Pero papá, yo nunca había deseado un tren eléctrico.

—Bueno —le dijo el padre—, tú has estado hablando de un tren eléctrico por mucho tiempo, y sólo has ahorrado una moneda de diez centavos. Me parece que no lo deseas mucho.

Pedro se sonrojó un poquito. Pero ahora estaba decidido a ahorrar.

—Papá —le dijo Pedro—, voy a ahorrar mi dinero desde ahora mismo; y cuando tenga las doscientas monedas compraré el tren.

—Temo que lo hayan vendido cuando termines de ahorrar el dinero —le dijo el padre sonriendo—. Te diré lo que yo haré: Por cada diez monedas que ganes y ahorres (si es que puedes hacerlo), te daré diez más hasta que tengas suficiente para comprarte el tren que tanto deseas.

—¿Lo harás, papá? —le preguntó Pedro saltando de alegría—. ¡Ahora sí podré tener mi tren!

—Yo no estaría tan seguro —dijo el padre sonriendo, ya que su ofrecimiento era condicional—. Bueno, ¿y qué planes tienes para ganar el dinero?

—Ahora mismo voy donde la señora Moreno para que me dé el trabajo de arreglarle el jardín cada semana. Luego hablaré con la señora Pérez para limpiarle el patio de las hojas que caen de los árboles. Además iré...

—Bueno, bueno —dijo el padre—, ahora hablas en forma sensata. Esto es muy bueno. Quizá yo te pueda ayudar a conseguir algunos trabajos, si así lo deseas.

—Claro que quiero. ¡Oh, papá, casi puedo escuchar ahora mismo el tren en mi cuarto!

Pedro comenzó a trabajar en su nuevo gran plan. En lugar de malgastar sus minutos, los convertía en dinero, trabajando. Ahorraba cada moneda que recibía. No le fue nada fácil, pero como sabemos, todas las cosas buenas cuesta obtenerlas.

Cuando sus amigos lo invitaban a jugar o a nadar, les respondía: "Lo siento, pero tengo un trabajo que hacer". Le era duro, terriblemente duro, no poder acompañarlos; pero cuando se sentía tentado a seguirlos y a abandonar su propósito, se acordaba de su tren, y continuaba en su trabajo.

Además, Pedro dejó de gastar su dinero en todo lo que veía, por ejemplo, en juguetes baratos que se rompían fácilmente. Todas las monedas que ganaba las echaba en su alcancía. Por supuesto, cada vez que tenía diez monedas ahorradas le recordaba a su padre la promesa de darle

 otras diez. Así la suma iba aumentando rápidamente.

El padre comenzó a inquietarse, ya que tenía que desembolsar diez monedas de diez centavos muy a menudo. Pero de todas maneras no se detuvo mucho a pensar en esto, porque se dio cuenta de que Pedro estaba aprendiendo lecciones de mucho valor.

Pasaron los meses, y la preciosa alcancía se ponía más y más pesada. Un día, la víspera del cumpleaños de Pedro, sucedió algo trágico.

Pedro llegó de la escuela muy triste. Las lágrimas le corrían por las mejillas. A cada rato se las secaba con su pañuelo sucio.

—¿Qué sucede? —le preguntó el padre.

—¡El muchacho vendió el tren! —dijo Pedro sollozando—. ¡Ahora no podré tenerlo!

—¡Qué lástima! —dijo el padre—. ¡Qué lástima! ¿Sabes una cosa, Pedro? Yo temía que esto sucediera. No podías esperar que él aguardara tanto tiempo.

—Lo sé; pero pensé que él esperaría —repuso Pedro—. Su precio era una verdadera ganga cuando yo quería comprarlo.

—Bien, ahora puedes gastar tu dinero en otra cosa que desees —le dijo el padre—. Hay muchas otras cosas lindas.

—No, lo único que quiero es mi tren —repuso Pedro—. ¿Por qué habrá pasado esto? ¿Por qué se lo vendió a otro?

—Bueno, no lo tomes tan a pecho —le aconsejó el padre—. Vamos a pasear y a tratar de olvidar todo.

—¿A pasear? —exclamó Pedro—. ¡No quiero ir a pasear! Y además, nunca podré olvidar esto mientras viva.

—Bueno, es sólo un corto paseo... subiendo la escalera —agregó sonriendo el padre.

—¿Subiendo la escalera? —preguntó Pedro lleno de curiosidad—. ¿Pero por qué en ese lugar?

—Oh, nada más que para un corto paseo —dijo el padre encaminándose hacia la escalera.

Intrigado, Pedro siguió a su padre. Cuando entró en el cuarto, su rostro manchado por las lágrimas se llenó de gozo y sorpresa. ¡Sobre el piso estaba el tren eléctrico que tanto había deseado, y por el cual había trabajado tanto.

—¡Oh, es mi tren! —exclamó Pedro gozoso y sorprendido. ¿Cómo es que está en mi cuarto?

—Bueno... —dijo el padre sonriendo—, parece que llegó hasta aquí.

—¡Vaya! —repuso Pedro— No pudo haber venido solo.

—Lo sé, hijo. Yo se lo compré al muchacho hace unas cuantas semanas. Cuando vi la forma en que trabajabas para comprarlo, pensé que no era bueno que él, cansado de esperarte, lo vendiera a otro. Así que aquí lo tienes. Lo mereces.

—¡Hurra! —gritó Pedro fuertemente y saltando sobre su cama—. ¡Papá, puedes venir a jugar con mi tren cuantas veces quieras! Ya lo sabes.

—Gracias, hijo.

Y los dos se sentaron sobre el piso, y comenzaron a jugar con el tren.

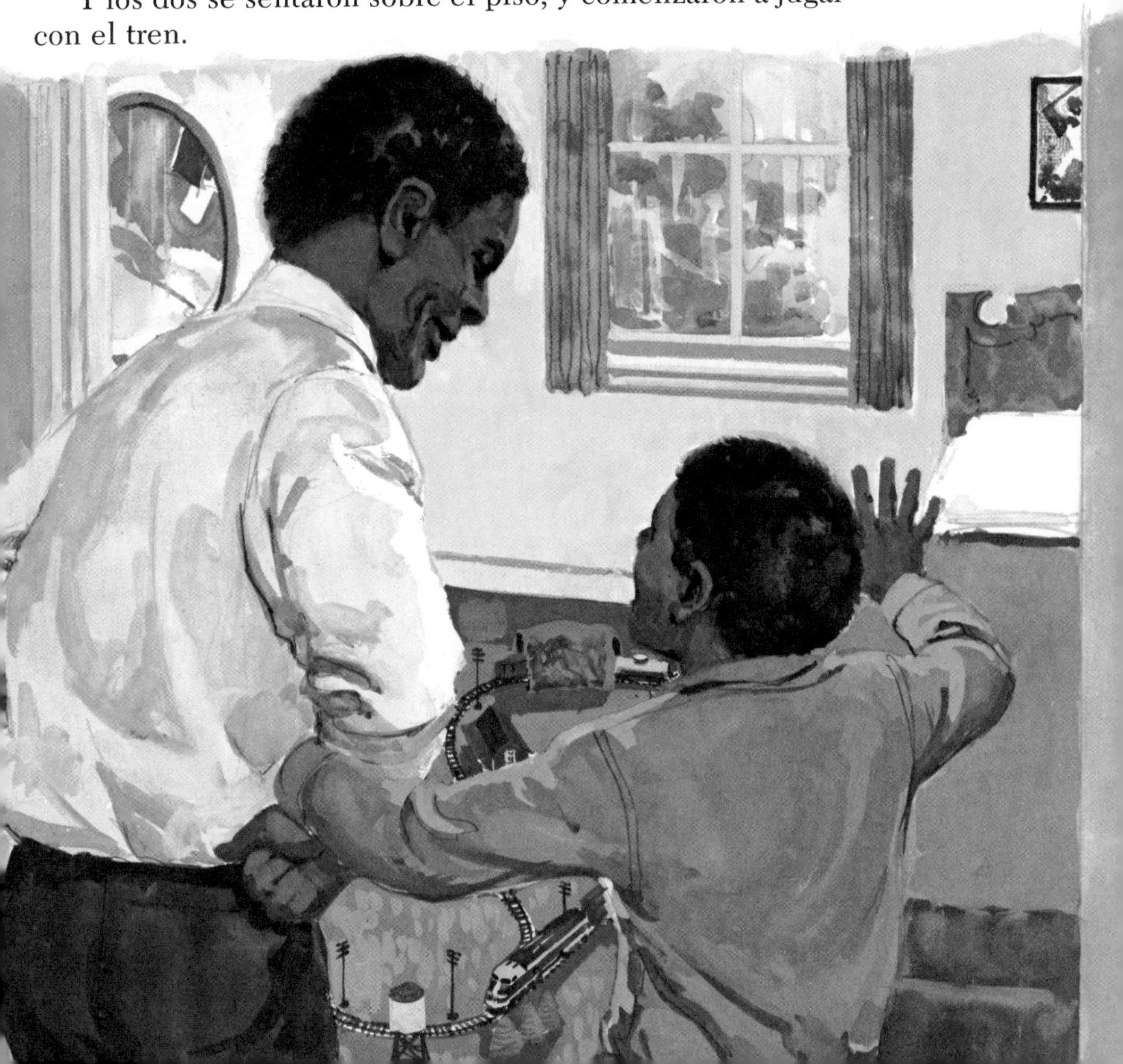

HISTORIA **15**

Esteban, El Escalador Valiente

ESTEBAN había visto a menudo a su padre cómo subía a lugares altos y peligrosos, tales como el campanario de la iglesia y las chimeneas, para limpiarlos, pintarlos y arreglarlos. Por tanto pensó que él también sería un buen escalador.

Y sucedió mucho antes de lo que él pensaba.

Un día, mientras caminaba por la calle, vio a un grupo de personas fuera de una iglesia. Creyó que esperaban por un matrimonio o un funeral, pero luego se dio cuenta de que todos miraban hacia arriba, y que algunos señalaban algo.

Apresuró el paso; llegó hacia donde estaba el grupo, y él también comenzó a mirar hacia arriba. Pero no podía ver nada, excepto la antigua y familiar torre de la iglesia. No encontró nada especial en ella. El la había visto cientos de veces, tanto sola como cuando su padre la escalaba en distintas ocasiones.

—¿Por qué están todos mirando hacia arriba? —preguntó a un hombre que estaba a su lado.

—¿No puedes ver acaso? —respondió el hombre.

—¿Ver qué? —preguntó Esteban de nuevo.

—El pájaro —fue la respuesta que recibió.

—¿El pájaro? ¿Qué pájaro? No veo ningún pájaro.

—¿No ves acaso el pájaro amarrado en la parte más alta de

la torre? —repuso el hombre.

Esteban rió en voz alta. ¿Quién había escuchado que un pájaro estuviera amarrado en una torre? Miró de nuevo, y dejó de reírse. El hombre tenía razón. Allí había un pájaro; y se encontraba enredado en la parte más alta de la torre.

—Claro —dijo—, lo veo; y es un pichón de paloma, y tiene un hilo en una de sus patas.

—Así es —respondió el hombre, y continuó—: Ahora ten la bondad de decirme, ¿cómo se enredó el otro extremo del hilo en la aguja de la torre?

—No sé —le respondió Esteban—. Supongo que se enredó en algo cuando volaba. ¡Qué cosas tan raras suceden!

Para este momento más gente se había unido al grupo, el cual ya era tan grande que comenzaba a estorbar el tránsito. Todos miraban hacia arriba, y esperaban que la pobre ave pudiera liberarse. Volaba un poco, pero la cuerda la detenía; y caía de nuevo contra el costado de la aguja de la torre.

—¡Pobrecita! —dijo uno.

—Que alguien busque un rifle y la mate —dijo otro.

—Eso es lo mejor que se puede hacer —dijo un tercero—. Así se la librará de sus sufrimientos.

—¡Oh, no; no hagan eso! —dijo Esteban, que amaba a los animales.

—Es lo único que se puede hacer —dijo un hombre que estaba cerca de él.

—No, no —repitió Esteban—. Yo me subiré para rescatarla.

—¿Qué? ¿Tú te vas a subir para hacerlo? —dijo un hombre riéndose—. No lo conseguirás. Para eso se necesita un escalador profesional.

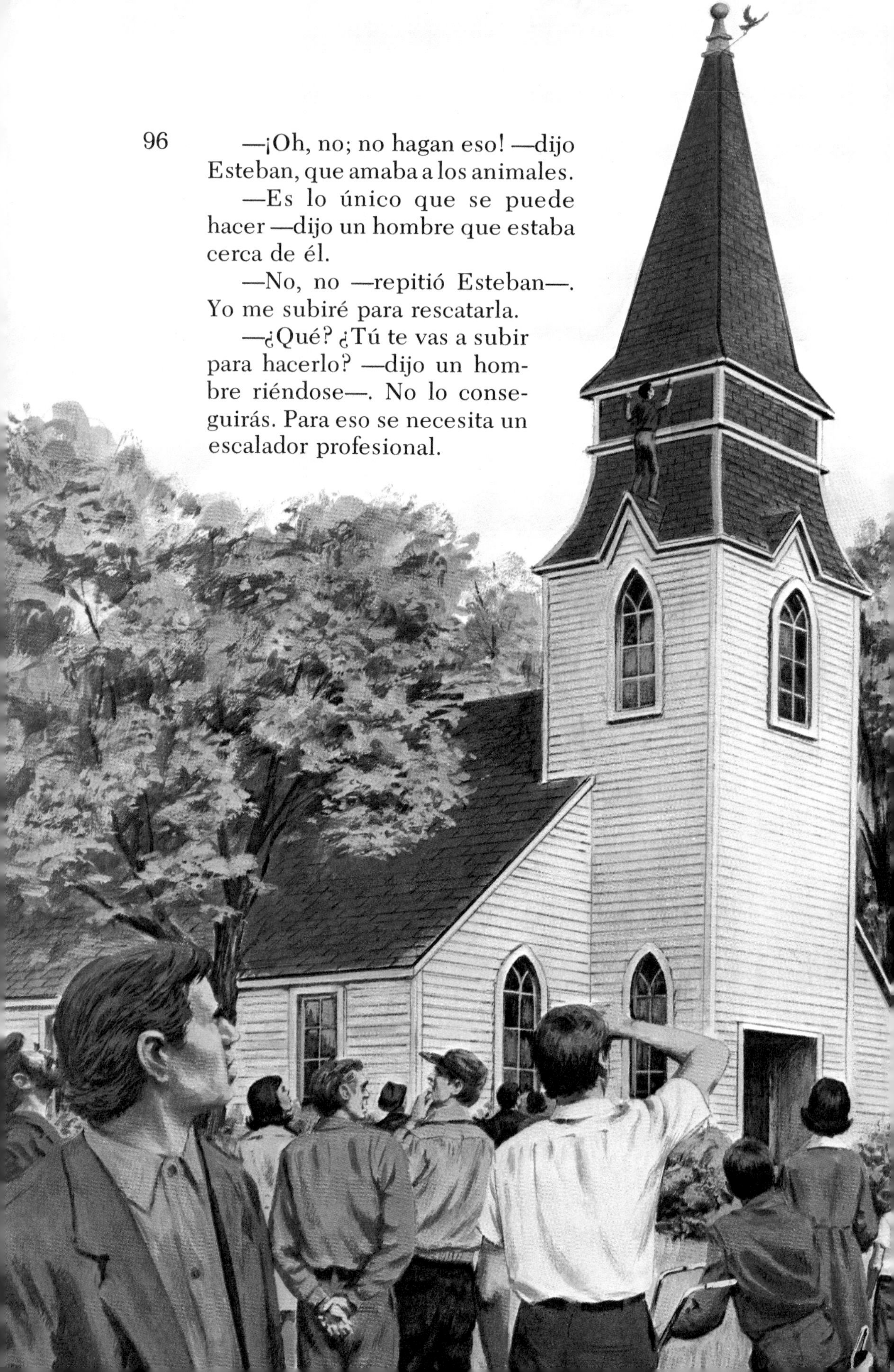

—¡Un escalador! —repuso Esteban mientras se abría paso por entre el gentío y se dirigía a la puerta principal de la iglesia—. Eso es lo que seré algún día.

Afortunadamente la puerta estaba abierta. Entró: subió las escaleras con rapidez; llegó a la escalera que daba acceso a la azotea; subió apresuradamente, y muy pronto apareció en la parte exterior de la torre.

Inmediatamente se escuchó un murmullo de la multitud congregada en la calle.

—¿Qué haces allí? —le gritaron—. ¡Baja pronto!

Pero Esteban no bajó. En lugar de hacerlo, caminó cuidadosamente hacia la parte inferior de la torre, se quitó los zapatos y los calcetines, y empezó a subir. Pegado contra el campanario encontró un asidero en un lugar donde otro no lo hubiera descubierto.

Los ojos de la multitud se volvieron todos hacia Esteban.

—¡Bájate! ¡Bájate! —le gritaron algunos de los hombres a una voz—. ¡Te caerás! ¡Te quebrarás el cuello! ¡Bájate!

Pero Esteban no bajó. Ascendió firmemente, centímetro por centímetro, metro por metro. La gente no se explicaba cómo podía sostenerse. El lo hacía en la misma forma en que le había visto hacerlo a su padre, afirmándose en los fuertes clavos que se habían dejado aquí y allá para ayudar al que arreglaba la torre. Mantuvo su vista hacia arriba, y ni por un momento miró para abajo. En esta forma avanzaba lentamente, pero con seguridad, hacia el lugar en que estaba enredada la paloma.

Mientras tanto la multitud había crecido tanto que llenaba la calle. Los policías que habían llegado para despejar la calle y dar paso a los vehículos detenidos, contemplaron con horror

cómo Esteban se pegaba al campanario como una mosca. Uno de ellos tocó el silbato y ordenó a Esteban que bajara. Pero éste no lo escuchó.

—¡Se va a caer! ¡Se va a caer! —gritó sollozando una mujer.

—¡Baja! ¡Baja! —gritó uno tras otro—. Pero Esteban seguía ascendiendo poco a poco, sin detenerse.

¡Un poco más, y llegaría al lugar deseado! Llegó. Cuidadosamente, extendió su mano y tomó el hilo que sujetaba a la paloma.

Se hizo un gran silencio en la multitud. Todos contuvieron su aliento. ¡Estaban seguros de que ahora sí se caería! Seguramente que no podría sostenerse con una mano mientras tiraba del hilo con la otra.

Pero lo logró. Y para asombro de todos, no soltó el hilo, sino que comenzó a pasarlo entre sus dedos.

—¡Oh, no! —gritó la gente—. ¡No puede ser que intente echar mano a la paloma!

Pero eso fue exactamente lo que hizo. Lentamente, y con gran cuidado, Esteban continuó pasando el hilo entre sus dedos; y el ave se fue acercando gradualmente hacia su mano. Luego abrió ésta rápidamente, y sujetó a la paloma.

La multitud suspiró. Ahora ¿cómo podría bajar seguro con una mano ocupada? No había duda de que ahora sí se caería.

¿Entonces qué piensan ustedes que hizo Esteban? En alguna forma colocó a la paloma dentro de su camisa, se la abotonó, y con ambas manos libres comenzó a bajar.

Descendió poco a poco mientras la multitud lo observaba con una mezcla de temor y asombro.

Por fin Esteban llegó a la parte baja y segura. Se puso los zapatos, y corrió por la azotea hacia la puerta de entrada.

Todo el mundo exhaló un grito de alivio cuando llegó abajo sano y salvo.

Los niños se congregaron alrededor de Esteban.

—¿Verdad que él fue valiente al arriesgar su vida para salvar a una paloma? —comentó uno de ellos.

Bueno, sobra decir que esto no fue lo que le dijo su padre cuando llegó a su casa.

a multitud observaba a Esteban quien, descalzo, caló la torre de la iglesia para ayudar a la paloma.

RUDEEN

Cuando me contaron esta historia, no pude menos de pensar en Alguien que arriesgó y entregó su vida por otros; Uno que subió, no a un campanario, sino a la cruz; Uno que arriesgó todo para salvar, no una paloma, sino a todos los niños y las niñas de todas las naciones.

¿Saben ya a quién me refiero? Sí, a Jesús el amigo de todos los niños. ¿Y por qué hizo todo esto? Para poder llevarnos con él y guardarnos para siempre.

HISTORIA **16**

El Caballero Misterioso

¿TIENES tú la suerte de que tu bisabuela aún viva? Si es así, entonces pídele en la primera oportunidad que tengas que te cuente algunas de las cosas que le sucedieron cuando era niña. No me sorprendería que fueran éstas las historias más interesantes que alguna vez hayas escuchado.

La abuelita Josefina era muy simpática e interesante. Aunque ya tenía noventa años podía recordar bien casi todas las experiencias de su niñez. ¡Y cuánto les gustaba a sus nietos y bisnietos escucharla!

Una tarde Francisco y Aura, dos de sus nietos, la visitaron. A los pocos momentos trataban de convencerla que les contara algunas interesantes historias de años antes.

—Por favor, abuela —le dijo Aura en tono de súplica—, aunque sea sólo una. ¡Nos gusta tanto escuchar tus historias!

—Sí, abuela —agregó Francisco—. Tú sabes que nos prometiste contarnos una de un caballero misterioso.

—Muy bien —respondió la abuela—, pónganse cómodos y escuchen lo que voy a contarles.

Francisco y Aura se sentaron tan cerca de la abuela como pudieron, y muy emocionados miraron su rostro, pues sabían que tenía algo muy interesante para ellos.

—Todo esto sucedió —comenzó a decir la abuela—

cuando yo era una niña de cinco años; pero lo recuerdo como si lo hubiera visto y oído ayer.

"Pero para comenzar mi historia es necesario que vayamos más atrás aún —continuó la abuela—. Cien años antes de esto, mi bisabuelo emigró de su país y llegó a los Estados Unidos de América. El y su familia se radicaron en la parte del este llamada Nueva Inglaterra. Los niños crecieron y se fueron a vivir a sus propias granjas. Mi padre nació en una de estas familias. Cuando aún era muy joven escuchaba que la gente hablaba del maravilloso oeste norteamericano.

"En aquellos lugares, afirmaba la gente, hay miles y miles de kilómetros de bosques poblados de árboles enormes. En ese terreno tan fértil el trigo crece como ningún agricultor lo ha visto jamás crecer. En realidad, allí hay todas las cosas que el hombre pueda desear.

"Mi padre —prosiguió la abuela— escuchó atentamente, y le pareció que era un lugar promisorio. Era precisamente lo que él deseaba. Habló con mi madre, y decidieron ir.

"El camino que debían recorrer tenía una extensión de casi cinco mil kilómetros. Para llegar a destino era preciso cruzar praderas, valles, bosques, ríos y montañas. Todo lo que llevaban iba apretujado en una carreta cubierta, tirada por dos bueyes".

—¿Y cómo era esa carreta cubierta? —preguntó Aura.

—Bueno, sólo diré de esto unas pocas palabras —aclaró la narradora— porque todavía no hemos empezado con la verdadera historia. La mayoría de las carretas cubiertas eran construidas con gruesos tablones de madera. Eran herméticas, esto es, no les entraba agua cuando las usaban como botes para cruzar los ríos. Generalmente varias familias viajaban juntas, no sólo para tener compañía sino también para protegerse contra los indios, los cuales a menudo atacaban a los

En la caravana en que íbamos había unas siete u ocho carretas y, día tras día, avanzábamos lentamente.

K. COLLINS

viajeros porque éstos, pensaban ellos, querían quitarles sus tierras.

—¿Y tú viajaste en una de estas carretas herméticas? —le preguntó Aura con los ojos maravillados.

—Sí, sí —respondió la abuela—. Yo tenía sólo cinco años cuando comenzó este viaje, pero aún puedo recordar todas las cosas que sucedieron en ese largo, largo recorrido.

—¿Y cuánto tiempo les llevó la travesía? —preguntó Francisco.

—Más de seis meses. Salimos de nuestra casa en el mes de abril, apenas terminó el invierno, y no fue sino hasta octubre de ese año cuando divisamos a lo lejos el monte Hood, en Oregón, un Estado del oeste. En la caravana en que íbamos había unas siete u ocho carretas y, día tras día, avanzábamos lentamente, al paso que pudieran ir los bueyes.

"Algunos días eran muy, muy calurosos, y sentíamos una

sed terrible. Creo que los bueyes lo sentían más que nosotros, ya que hacían la mayor parte del trabajo. Un día, lo recuerdo bien, viajamos muchos kilómetros sin agua. De pronto, los bueyes se detuvieron, y se negaron a avanzar un metro más. Mi padre les quitó el yugo, y ellos rápidamente comenzaron a correr. Habían olfateado el agua a más de un kilómetro de distancia, pero estaban demasiado cansados y sedientos para ir con las carretas".

—¿Y ustedes pudieron enlazarlos de nuevo? —preguntó Francisco.

—¡Oh, sí! Fue fácil hacerlo. Ellos sólo querían beber agua. Luego seguimos nuestro camino.

—Y el caballero misterioso, ¿cuándo apareció? —preguntó Aura muy inquieta.

—Espera un poquito —le dijo la abuela—. Ya llegaremos allí. No te impacientes. Algunas otras cosas sucedieron antes. Como viajábamos día tras día, semana tras semana y mes tras mes, los bueyes comenzaron a sufrir. Sus pezuñas estaban estropeadas, y los pobres animales se cansaban fácilmente. Mi padre no les daba mucho descanso porque sabía que debíamos pasar las montañas antes de que comenzara de nuevo el invierno. Además, los alimentos comenzaban a escasear. Cada día recibíamos una ración de comida, y nada más, porque papá sabía que si nos deteníamos y se nos acababan los alimentos, moriríamos en el camino.

"Y así, con los bueyes que se iban cansando más y más, y la preocupación de mi padre que iba en aumento, continuamos hacia el oeste. Por fin comenzamos a subir la primera montaña. No me puedo imaginar ahora cómo pudo alguno hallar camino por ese lugar. El suelo era tan quebrado y rocoso, que muchas veces estuvimos a punto de ser lanzados de la carreta. Porque, a diferencia de lo que se ve ahora, en ese entonces no había carreteras pavimentadas. Seguimos subiendo y subiendo. Los bueyes, jadeantes y sudorosos, tiraban de la carreta y, en varias ocasiones, mi padre empujaba detrás. Así seguimos ascendiendo todo el tiempo.

"Por fin llegamos a la parte más alta, y desde allí contem-

plamos el monte Hood con su cúspide coronada de nieve que brillaba con el sol. Aunque sabíamos que aún teníamos por delante unos cuantos días de marcha, nos parecía, sin embargo, que ya habíamos llegado a destino.

"Pero esa misma mañana murió uno de los bueyes. La jornada de las montañas había sido muy agotadora para el noble animal. Nos quedaba únicamente un buey, y él solo no podía tirar de la carreta. Mi padre no sabía qué hacer en situación tan angustiosa. Habló con la gente de las otras carretas. Todos se mostraron muy tristes, pero no podían hacer nada. Sus bueyes también estaban agotados, y también a ellos se les estaba acabando la comida. Creyeron que lo más conveniente era seguir sin nosotros y así lo hicieron.

"Nunca olvidaré —dijo con voz temblorosa la abuela— cómo nos sentimos todos cuando la última carreta desapareció de nuestra vista. Estábamos solos en el pico de la montaña, sin medios para continuar la marcha; ¡y únicamente teníamos alimentos para dos o tres días!

"Llegó la noche. Hacía mucho frío. Mi padre temía que la nieve comenzara a caer; y si así fuera, ¿qué haríamos? Encendió el fuego y nos dio algo que comer. Después me acostaron. Pero él y mi madre se sentaron a planear qué debían hacer.

"—El gran Dios del cielo —dijo mi padre poco después—, que nos ha traído sanos y salvos por este camino y en medio de tantas dificultades, no nos abandonará ahora. ¡El nos ayudará! Arrodillémonos aquí, en la cumbre de esta montaña, y presentémosle nuestro problema—. Se arrodillaron los dos en la oscuridad, en medio del viento frío que soplaba; le presentaron su gran necesidad y su desamparo, y manifestaron fe en que él los ayudaría. Poco después se acostaron.

"La noche transcurrió lentamente —prosiguió la abuela—. Las estrellas, frías y brillantes, parecían observar nuestro solitario campamento. Pasó la medianoche, la una, las dos y las tres de la mañana. Empezaba a amanecer cuando de pronto mi padre se sentó. El silencio había sido interrumpido por unos extraños sonidos.

"¡Clap! ¡Clap! ¡Clap!

"—¡Caballos! —susurró mi padre.

"—¿Serán los indios? —murmuró mi madre acercándose a él—. Estoy segura de que debe haber muchos por aquí.

"—No lo sé —respondió él. Su voz era serena pero fir-

me—. Debemos aguardar y ver qué sucede.

"Permanecimos quietos junto a la carreta escuchando los sonidos de los cascos de caballos, que se acercaban cada vez más. De pronto escuchamos una voz que venía de la oscuridad, y dijo:

"—¡Buenos días!

"—¿Quién es? —respondió mi padre.

"—¡Un amigo! —fue la respuesta.

"En la débil luz de la mañana, mi padre sólo pudo distinguir a un hombre montado en un caballo, y con otro caballo junto a él. Se preguntaba quién podría ser.

"—¿Se halla en dificultades? —le preguntó el desconocido.

"—Sí —le contestó mi padre—. Estamos en una situación desesperada. Uno de nuestros bueyes murió. Estamos atascados, y sólo nos queda un poco de alimento.

"Entonces, el desconocido nos contó que esa madrugada, aproximadamente a las dos, una voz lo había despertado sorpresivamente, diciéndole que en la montaña había personas que estaban pasando por dificultades, y que fuera en su

ayuda. Obedeciendo a la voz, se levantó inmediatamente, ensilló los caballos, y salió para socorrer a quien fuera. Acto seguido, nos llevó a su casa. Nos dio de comer, y nos prestó un buey".

—¿Y cómo se llamaba el jinete misterioso? —preguntó Francisco.

—Nunca nos lo dijo —comentó la abuela con un dejo misterioso—. Nos pidió que simplemente lo llamáramos "Coronel", y así lo hemos llamado desde entonces.

—¿Pero quién le dio el mensaje de que ustedes estaban en dificultades? —le preguntó Aura.

—¡Ah! —respondió la abuela llena de emoción, ésta es la parte más maravillosa de la historia, ya que en ese tiempo no había ni teléfono ni telégrafo por esos lugares. Todo lo que mi padre podía hacer era presentar a Dios su necesidad.

"Toda mi vida —concluyó la abuela— recordaré esa terrible noche sobre la montaña, cuando Dios envió a un jinete misterioso para que nos salvara. Hijos, quiero que siempre recuerden que el Dios a quien amamos y servimos, nunca nos abandona". Así lo promete en su Palabra.

HISTORIA **17**

Los Paquetes Olvidados

LOS preparativos para celebrar la Navidad estaban llegando a su final. La familia entera se encontraba muy ocupada esforzándose para que todo estuviera preparado, a fin de que el día de la Navidad fuese el más feliz del año.

Los niños estaban organizados como soldados. Cada uno tenía determinado qué cosas debía hacer. En esta forma trabajando unidos, tenían la esperanza de terminar a tiempo.

La tarea de José era entregar los paquetes con regalos que la madre había planeado enviarles a sus vecinos.

—No debes olvidarte de ninguno de ellos —le dijo ella—. Estos obsequios pueden ser la diferencia entre una Navidad alegre o triste para algunas de estas personas. ¡Así que no dejes de entregarlos!

—Por supuesto que no lo olvidaré, mamá —le aseguró José—. En seguida comenzaré a hacerlo.

Y partió en su bicicleta cargada de paquetes. Muy pronto estuvo de regreso para buscar más regalos. Y salió de nuevo.

Todo marchó bien hasta que José se encontró con algunos de sus compañeros de clase. Estaban jugando muy alegres, y lo invitaron a que jugara con ellos.

En la casa sólo le quedaban a José dos paquetes para entregar; pero pensó que podría quedarse jugando con sus amigos, y que podría entregarlos fácilmente en los últimos momentos de la tarde. Después de todo era la vacación de la Navidad. ¿Por qué, entonces, no podría divertirse un poquito? "No puedo trabajar todo el tiempo", refunfuñó.

Se quedó jugando, y se olvidó de los paquetes y del tiempo.

Ya era tarde cuando llegó a su casa, tan tarde que no se acordó de los paquetes. Ahora su única preocupación era entrar en la casa sin ser notado. La conciencia le decía que debería haber regresado antes a su casa para prestar su ayuda y terminar el trabajo.

No fue sino después de las once de la noche cuando la madre de José notó que los dos paquetes estaban debajo de la mesa de la cocina.

—¡Oh, qué muchacho! —se lamentó la madre—. ¡No cumplió el encargo que le hice! ¡Lo levantaré ahora mismo y lo enviaré a entregar estos dos paquetes!

—Ahora no —intervino el padre—. Está lloviendo, y la

calle está muy mojada y resbalosa.

—¡Pero los paquetes deben ser entregados esta noche! —argumentó la madre determinada a que sus planes se cumplieran.

—Bueno —repuso el padre—, si hay que entregarlos, mejor es que lo hagamos nosotros.

—Muy bien —contestó la madre decidida—, iremos.

Así que, cansados como estaban por las faenas de los preparativos del día, salieron a entregar los paquetes.

—Ganaremos tiempo —dijo el padre— si tú tomas por una dirección y yo por la otra. Eso sí, anda con cuidado, pues es fácil caerse con la humedad que hay.

El padre regresó pronto; no así la madre.

"¿Dónde podrá estar a estas horas de la noche? —se preguntaba él—. Quizá hablando con algunas personas".

Transcurrió media hora. El padre estaba bastante preocupado. Era casi la medianoche. Así que decidió ir a buscarla.

Cuando estaba por salir tocaron a la puerta. Era la madre. Estaba pálida y angustiada, y se sostenía un brazo.

—¡Me he caído —dijo en tono de lamento—, y me he quebrado la muñeca! Llama rápido a un médico.

¡Qué contrariedad tan grande y en Nochebuena!

Cuando los niños se levantaron por la mañana, hubo gran tristeza en el hogar. Toda la alegría de la Navidad se desvaneció porque la madre estaba en la cama, y sentía un gran dolor.

¿Y cómo podía alguno estar contento?

José, aunque no dijo casi nada, estaba más preocupado que todos. El remordimiento llenaba su corazón.

¡Si sólo hubiera entregado esos dos paquetes más! ¡Si sólo hubiese cumplido primero con su deber, y después se hubiera puesto a jugar! ¡Si únicamente hubiera hecho lo que su madre le había encargado! ¡Cuán diferente fuera todo ahora! ¡Ver sufrir a su madre era el castigo más duro que podía recibir!

Por supuesto, el niño le dijo a su madre cuán triste estaba, y que nunca más olvidaría algo que se le confiara. Pero ya no podía evitar lo que había pasado.

La Navidad se echó a perder. Todos los preparativos habían sido inútiles. Todos estaban apesadumbrados. El arbolito de la Navidad parecía estar mustio y oscuro, y las decoraciones fuera de lugar.

¡Y todo por causa de un muchacho olvidadizo y descuidado!

Sin embargo, una cosa es cierta: Mientras José viviera, no olvidaría que, la tristeza y el pesar son el tremendo precio de la negligencia, del descuido.

HISTORIA **18**

Alejandro Perdió la Excursión

ALEJANDRO siempre olvidaba las cosas que se le encomendaban. Si la madre lo enviaba a comprar algo, cuando llegaba el momento de hacerlo, ya se le había olvidado lo que su madre necesitaba.

Una vez el padre le pidió que lavara el auto, pero no pensó más en este asunto hasta que vio a su padre salir del garaje para ir al trabajo. Pero... ya era demasiado tarde.

Olvidaba dónde había dejado sus libros, su pluma, sus lápices. Olvidaba cumplir con las asignaciones que la maestra le había dado para hacer en su casa.

No era que tuviera una mente débil o algo por el estilo. No; su mente era tan despierta como la de cualquier otro muchacho cuando se trataba de béisbol, natación, patinaje y de otras cosas que le interesaban. Nunca pasaba por alto la hora de comer. Pero era muy descuidado cuando se trataba de cosas que *no* quería hacer.

Un día el maestro anunció a la clase que había planeado llevar a los estudiantes a una playa un poco distante para estudiar la naturaleza. Juntos podrían explorar la vida y las costumbres de los animales marinos a lo largo de la playa.

Todos aplaudieron. Este paseo parecía una vacación más que un día de estudio. ¡Qué día maravilloso tendrían, especialmente cuando llegara la hora de comer! "Pero hay algo que todos deben recordar —aclaró el maestro—. Si desean ir a la excursión deben traer un permiso firmado por sus padres o tutor. El que no lo haga, no podrá ir. No habrá excepción alguna a esta regla".

A la mañana siguiente todos los estudiantes trajeron sus permisos; todos, excepto Alejandro. Como siempre, había olvidado algo que se le pedía. No era que no deseara ir a la excursión. Por el contrario deseaba mucho ir; pero no quería tomarse la molestia de obtener el permiso. Pensaba que realmente no era muy importante hacerlo. Así que lo olvidó.

Llegó el día tan esperado para ir al mar. Todos los estudiantes, muy presurosos y entusiasmados, con todas sus cosas listas, esperaron la llegada del autobús.

El maestro cuidadosamente pasó revista a la fila de alumnos. Luego se dirigió a Alejandro, y le preguntó:

—Alejandro, ¿trajiste el permiso que te pedí?

Alejandro se puso rojo como una remolacha, y respondió:

—Lo siento, señor; se me olvidó.

—Yo también lo siento mucho, Alejandro —le dijo el maestro—; pero tendrás que quedarte. No irás al paseo.

—Iré ahora mismo, y lo conseguiré —repuso Alejandro—. Hay sólo unos dos kilómetros de distancia a mi casa.

—No tendrás tiempo de hacerlo —le respondió el maestro moviendo la cabeza negativamente—. Ya es tiempo de irnos. ¡Suban todos al ómnibus!

Todos entraron precipitadamente al vehículo, y los asientos fueron ocupados rápidamente.

El conductor aceleró y se alejó rápidamente, dejando a Alejandro a la orilla de la acera.

¡Apenas podía creer lo que veían sus ojos! ¡Se habían ido sin llevarlo! ¡No podía hacer ese viaje tan maravilloso! ¡Y todo porque había olvidado esa pequeña nota de permiso!

Las lágrimas rodaron por sus mejillas cuando vio que el autobús se perdía en la distancia.

Pero aunque la lección fue muy dura, era la que Alejandro tenía que aprender. Desde ahí en adelante no sería tan descuidado y trataría de hacer en seguida las cosas que le pidieran.

HISTORIA **19**

El Mejor Regalo de Cumpleaños

BEATRIZ estaba muy preocupada. Su papá cumpliría años en dos semanas, y ella no sabía aún qué iba a regalarle.

Todos los años tenía esta misma preocupación. Su papá tenía de todo. ¿Pañuelos? Bastantes. ¿Cremas y hojas de afeitar? También las tenía. ¿Corbatas? Bueno, a su papá no le gustaba que otros le compraran las corbatas. El decía que un hombre siempre debería escoger sus propias corbatas. ¿Calcetines? Bueno, quizá necesitaría algunos, pero no se podía conseguir nada especial en medias. Entonces, ¿qué podría una niña comprar para el cumpleaños de su papá?

Beatriz decidió consultar con su mamá.

—¿Qué puedo regalarle a papá en su cumpleaños? —le preguntó un día—. No puedo pensar en nada que él ya no tenga. Además pienso que quizá no desee o no le guste lo que yo le regale.

—Hija —respondió la madre—, yo tampoco lo sé, excepto que quizá pueda ser algo para su auto.

—Pero eso me costaría mucho —repuso inmediatamente Beatriz.

—Lo sé —repuso la madre—. Ese es el problema. Las cosas que él quiere y compra, ya sean pequeñas o grandes, cuestan

bastante. Creo que lo mejor que puedes hacer es preguntarle qué le gustaría recibir. A lo mejor te puede dar una idea.

—No me gustaría hacer eso, mamá, porque entonces no habrá ningún secreto; y cuando no hay secreto, ¿de qué sirve el regalo de cumpleaños?

—No sé qué más te podría sugerir —dijo la madre encogiéndose de hombros.

Beatriz pensó bien el asunto y decidió seguir el consejo de su mamá como la solución más acertada. Una noche se acercó a su papá, y le dijo:

—Papá, tengo algo importante que preguntarte.

—¿De qué se trata, querida? —le contestó el padre sentándola sobre sus rodillas—. ¿Es un secreto?

—¡Sí, papá, se trata de un gran secreto! Se supone que tú no debes saberlo, pero tengo que preguntarte algo.

—¡Adelante! —le respondió el padre—. ¿De qué se trata? ¡No se lo diré a nadie!

—Es acerca de tu cumpleaños —le dijo Beatriz—. He pensado detenidamente qué podría regalarte en tu cumpleaños, y no se me ocurre nada. Papá, ¿qué te gustaría recibir en tu cumpleaños?

El padre la estrechó amorosamente.

—¡Oh! —dijo—. ¡Qué bueno de tu parte que pienses tanto en mí! ¡Eso es lo que más valoro!

—Lo sé, papá. Pero yo quiero darte un regalo, y no hallo qué comprarte. Tú no me dejarías comprarte una corbata, y yo no quiero regalarte calcetines, y ...

—¡Beatriz, hija mía, cuán bueno es que desees comprarme algo!

—¿Pero qué te gustaría recibir? —insistió Beatriz en tono de ruego.

—Déjame pensarlo un poquito —le respondió el padre pensando seriamente.

Beatriz lo observó atentamente y con gran esperanza.

—Ya sé —contestó el padre guiñando un ojo—. He pensado en algo que deseo mucho.

—Muy bien, papá —exclamó Beatriz—. ¿Qué es?

"¡Sí, papá, se trata de un gran secreto! Se supone que tú no debes saberlo, pero tengo que preguntarte algo", dijo Beatriz.

D. SATTERLEE

—Es algo que he deseado por largo tiempo —respondió el padre en tono misterioso—. ¡Algo que deseo por sobre todas las cosas!

—¡Estoy tan contenta de que hayas pensado en algo que te gusta! Espero que no sea algo demasiado caro —dijo Beatriz bajando un poco la voz.

—No creo que te costará mucho —repuso el padre—. Pienso que podrás comprarlo.

—Bueno papá, dime de una vez de qué se trata.

—Muy bien. Te lo diré. Lo que más deseo en este cumpleaños es una promesa de mi hijita Beatriz.

—¿Una promesa? —respondió Beatriz un poco seria—. ¡Una promesa no es un regalo de cumpleaños!

—Pero sí podría ser un regalo para mí —repuso el padre.

—¿Pero qué clase de promesa es? —preguntó Beatriz un poco intrigada.

—La promesa —contestó el padre solemnemente— de que siempre dirás la verdad.

El rostro de Beatriz denotaba su estado de confusión. Recordó que había dicho una mentira pocos días antes y su padre la había descubierto. También recordó otras mentiras que había dicho en otras ocasiones; y se preguntaba si su padre no se habría dado cuenta de ellas.

—Esta clase de regalo —añadió el padre— será para mí de más valor que todos los calcetines, las corbatas, los pañuelos y todos los regalos que hay en el mundo.

Beatriz guardaba silencio mientras su padre hablaba.

—¿Me darías este regalo? —le preguntó el padre directamente—. ¡Yo lo apreciaría mucho!

—Lo pensaré un poco —respondió Beatriz deslizándose de las rodillas de su padre para retirarse.

El día del cumpleaños el padre de Beatriz encontró a la hora del desayuno, debajo de su plato, un sobre con estas palabras: "Privado. Secreto especial". Dentro había una nota escrita por Beatriz, que decía:

"Querido papá: Desde ahora en adelante, con la ayuda de Jesús, te prometo decir siempre la verdad. Tu hija que te quiere mucho, Beatriz".

—Este es el mejor regalo que alguna vez haya recibido —dijo el padre dándole un beso muy tierno a Beatriz—.

Luego guardó la carta en su bolsillo, y se fue a trabajar.

HISTORIA **20**

Las Niñas que Dieron lo Mejor

FALTABA solamente una semana para Navidad, y todos pensaban en los regalos de este día. Edit y Sara estaban haciendo una lista de las cosas que tenían guardadas. La madre las observó por un momento. Luego les dijo:

—Hijas, ustedes tienen muchos juguetes; ¿por qué no regalan algunos a los niños que este año no van a recibir ninguno?

Edit y Sara se sorprendieron. No habían pensado en hacer cosa semejante.

—¿Habrá niños que no recibirán un regalo este año? —preguntó Edit.

—Claro que los habrá —le contestó la madre—; y bastantes. Algunos viven cerca de nosotros. Ustedes conocen a Laura y Carolina, las cuales perdieron a sus padres en un accidente de automóvil. ¡Deben sentirse muy tristes y solas!

—Es cierto —dijo Edit, cuyo corazón era muy tierno—. Ellas no tienen quien les dé un regalo, excepto la señora con la cual viven. Y me parece que a ella no le agradan mucho los niños.

—Vamos a ver qué podemos hallar entre las cosas que tenemos —convidó Sara a su hermana.

La madre dejó que hablaran sobre este asunto. Pronto

comenzaron a sacar de su armario muñecas, animales de lana y trapo, pelotas, cubos para armar figuras, pinturas, lápices de colores y muchas cosas más, las cuales colocaron en el piso de la cocina.

—Bueno, hermana, ¿qué les damos? —preguntó Sara sentándose en medio de sus juguetes.

—Aún no lo sé —contestó Edit—. Pero supongo que debemos escoger algo muy especial para las pobres Laura y Carolina.

—Así es —asintió Sara sentándose junto a su hermana—. Creo que haremos eso. ¿Sabes qué voy a darles?

—¿Qué?

—A Negrito —respondió Sara.

—¡Oh, no! No te desprendas de tu precioso y querido perrito —rogó Edit.

—Sí, lo haré —afirmó Sara en tono muy decidido.

—Entonces yo regalaré mi muñeca Lolita —dijo Edit—. A Laura le gustará mucho tenerla. Estoy segura.

—Pero, esa es la muñeca que más te gusta —le recordó Sara.

—Lo sé —asintió Edit mientras tomaba a Lolita y le daba un fuerte abrazo.

En ese momento la madre entró a la cocina.

—Oh, queridas, ¡qué desorden! —exclamó—. Quiero de-

cir: ¡qué cantidad de juguetes! Bueno, bueno, ¿ya decidieron cuáles son los juguetes que van a regalar?

—Sí, ya lo decidimos —respondió Edit—. Sara dice que regalará a Negrito; y yo regalaré a Lolita.

—Pero hijas —exclamó la madre—, ésos son los mejores juguetes que ustedes tienen.

—Así es, mamá —respondió Sara—. Pero eso es lo que queremos dar.

—Pero les recuerdo que si ustedes los dan no podrán tenerlos de nuevo.

—Lo sabemos, mamá; lo sabemos —asintió Edit.

—Pero Sara, tú siempre llevas cada noche a tu cama a Negrito. ¿Podrás realmente separarte de él?

—Sí —susurró Sara.

—Edit, a ti siempre te ha gustado mucho Lolita. ¿Estás segura de que realmente deseas regalarla?

—Claro que sí —respondió la niña moviendo la cabeza en tono de afirmación.

—¡Ustedes son muy generosas! —exclamó la madre sentándose en el piso entre ellas, y rodeándolas con sus brazos—. Creo que ustedes son las niñas más dulces de todo el mundo.

Al día siguiente Edit limpió a Lolita, y le puso un vestido muy bonito, luego ayudó a su hermana a limpiar a Negrito, y lo adornaron con una cinta en el cuello. Después colocaron los dos hermosos regalos en una cesta, la cubrieron con una tela, y esperaron impacientes el día de Navidad.

¡Por fin llegó el día tan esperado! La madre les dijo a sus dos hijas que podían ir a visitar a Laura y a Carolina, lo cual hicieron muy complacidas.

Sosteniendo ambas la cesta, llamaron a la puerta.

—¡Feliz Navidad! —dijeron alborozadas y sonrientes cuando la puerta se abrió. Y entraron.

—¡Feliz Navidad! —respondieron Laura y Carolina; e inmediatamente preguntaron—: ¿Se puede saber qué traen en esa cesta?

—¡Adivinen! —exclamó Edit.

—¡Vamos, adivinen de una vez! —insistió Sara.

—No podemos imaginarnos qué será —respondieron las dos.

Entonces Edit y Sara colocaron la cesta en el piso, y quitaron la envoltura.

—¡Oh! —gritaron Laura y Carolina—. ¡Qué juguetes tan hermosos!

—¡Esta es para ti! —dijo Edit entregándole Lolita a Laura.

—¡Y éste es para ti, Carolina! —dijo Sara dándole a Negrito.

—¡Oh..., muchas gracias...! exclamaron las dos niñas.

—¡Ustedes nunca se hubieran imaginado —dijo Laura a los pocos minutos, mientras acariciaba el pelo rubio de Lolita—, pero éste fue el regalo que le pedí a Jesús para Navidad!

Cuando Edit y Sara regresaron al hogar, su madre las estaba esperando.

—¡Nunca antes las he visto tan felices! —les dijo.

—¡Oh, mamá —respondieron alborozadas—, hubieras visto cuán felices hicimos a esas dos niñas!

—Este es el verdadero espíritu de la Navidad —dijo sonriente la madre—. Somos felices cuando compartimos nuestra felicidad con los demás.

—Mamá —comentó Edit—, ¿sabes qué nos dijo Laura?

—No, ¿qué dijo?

—Que le había pedido a Jesús que le mandara una muñeca como mi Lolita.

—¡Qué maravilloso! —dijo sorprendida la madre.

—¡Cuán contenta estoy de haberle dado lo mejor que tenía! —repuso Edit.

—Y yo también —agregó Sara.

—Bueno —concluyó la madre—, yo también estoy muy contenta. Y les dio un abrazo y un beso a sus dos hijas.

HISTORIA **21**

Swami y el Cocodrilo

SWAMI era uno de los estudiantes más inteligentes en la escuela de la misión, aunque, como otros muchachos que conozco, era más despierto para el juego que para el trabajo.

Swami había asistido a la escuela durante unos dos o tres años, pero aunque otros estudiantes habían entregado su corazón a Jesús, él no lo había hecho aún. Pensaba "pasar un buen rato", y se negaba a abandonar algunos de los antiguos hábitos que había traído con él a la escuela.

En algunas ocasiones los encargados de la misión habían pensado enviarlo de vuelta a su casa, pero vez tras vez lo perdonaban y lo dejaban permanecer en la misión. "Algún día —pensaban— sucederá algo que despertará en Swami el amor por Jesús".

A pesar de la necedad de Swami, a los otros muchachos les gustaba andar con él quizá mayormente porque era un experto nadador. En cualquier competencia Swami los dejaba atrás; y esto hacía de él un héroe.

Una tarde en que todos se bañaban en la orilla de un ancho río, uno de los muchachos desafió a Swami a cruzar el río, ida y vuelta.

Ninguno lo había hecho antes. Estaba prohibido hacerlo.

Por causa de la corriente y de los cocodrilos, los estudiantes debían bañarse en un lugar seguro. Pero ya sabemos cuán aficionados son los jóvenes a buscar nuevas aventuras.

Swami vaciló en hacerlo, y todos comenzaron a burlarse de él:

—Tienes miedo —le dijo uno.

—No es cierto —le respondió Swami.

—Tú no podrías nadar una distancia tan larga —agregó otro.

—Sí que puedo —respondió el muchacho.

—Entonces... ¿por qué no lo haces? —dijo otra voz.

Pero como no se decidía a hacerlo, los muchachos se burlaron en grande de él.

—Vamos a ver si lo intentas —gritaron—. Nosotros contaremos para ver cuánto tiempo te lleva.

—Muy bien —dijo por fin Swami—. Trataré de hacerlo.

—Cuídate de los cocodrilos —gritó alguien cuando se lanzaba al agua.

—No te preocupes. Yo puedo nadar más rápido que ellos —respondió Swami.

Y se fue. Con fuertes brazadas cruzó la corriente. Luego atravesó el centro del río. Los compañeros contenían el aliento ante la hazaña desafiante de Swami. Este se acercaba más y más a la orilla opuesta.

Por fin dejó de nadar, y comenzó a caminar para salir del agua. Los muchachos aplaudieron, y gritaron: "¡Fantástico, Swami, fantástico!"

Swami se sentó para descansar y prepararse para el viaje de regreso. Cuando los muchachos comenzaron a gritar de nuevo, Swami entró en el agua, y comenzó su largo regreso.

Entonces sucedió algo escalofriante.

Cuando Swami llevaba unos dos o tres minutos dentro del agua, uno de los muchachos vio algo largo que se movía y que se dirigía hacia el nadador. Parecía un tronco flotando, pero con unos ojos sanguinarios que apenas asomaban en la superficie del agua.

H. BAER

—¡Un cocodrilo! —gritó el muchacho señalando el reptil, horrorizado.

Todos lo vieron, y gritaron en coro:

—¡Cuidado, Swami! ¡Un cocodrilo te persigue!

Swami oyó la voz de alerta, y mirando hacia atrás vio al horrible animal que se dirigía hacia él.

Swami casi saltó fuera del agua. Nunca en su vida había nadado tan veloz.

El siempre había pensado que podía nadar más rápido que un cocodrilo. ¿Podría hacerlo ahora? ¿Lo haría?

Aterrorizados, sus compañeros observaban la reñida competencia.

Por momentos parecía que Swami ganaría la carrera al cocodrilo. Con un gran despliegue de rapidez avanzaba velozmente. Pero ningún nadador puede sostener semejante esfuerzo por largo tiempo. La distancia entre ambos se acortaba. El cocodrilo se acercaba cada vez más.

De pronto se produjo un ruido; el agua se agitó un poco, y el pobre Swami desapareció.

Los muchachos corrieron apresuradamente hasta la misión dando gritos de terror y de tristeza.

Cuando el director escuchó la noticia, ordenó que se organizaran grupos de rescate, pues los cocodrilos no devoran su presa tan pronto como la capturan. A menudo la llevan a la orilla hasta que están listos para comérsela.

Los grupos de rescate comenzaron inmediatamente su trabajo examinando ambas orillas del río.

¿Qué había sucedido con Swami? El cocodrilo lo había arrastrado bajo el agua y ocultado en una pequeña ensenada entre la maleza, y Swami estaba inconsciente. Y para asegurar su presa contra posibles competidores lo había cubierto con fango, palos y piedras; pero afortunadamente la cabeza le había quedado libre y fuera del agua.

Poco a poco Swami recobró el conocimiento. ¡Y descubrió que se encontraba en la cueva del cocodrilo!

¡Ya podemos imaginarnos cuán asustado estaría! ¡Estaba a punto de gritar, presa del pánico! Pero en ese momento re-

on gran impulso, Swami avanzó nadando a toda elocidad y, por un momento, pareció que iba a gaar; pero el cocodrilo se acercaba más y más.

BAERG

cordó algunas de las cosas que le habían enseñado en la escuela de la misión. Y comenzó a pensar en Jesús.

"¡Jesús! —exclamó—. ¡Sálvame! ¡Sálvame! ¡Sálvame del cocodrilo! ¡Si lo haces, seré tuyo para siempre!"

Y luego se puso a gritar con todas sus fuerzas para que lo localizaran. Y, cosa extraña, en medio de sus gritos alcanzó a oír las pisadas de alguien que se acercaba. A los pocos momentos estaba contemplando los rostros de un grupo de rescate. Rápidamente quitaron las piedras y los palos de encima de Swami, lo colocaron en una camilla y lo llevaron apresuradamente al hospital de la misión.

Si visitáramos ahora esta misión situada en el corazón del Africa, encontraríamos allí a Swami. Tiene que usar muletas a causa de las mordeduras que le dio el cocodrilo en una pierna. Pero él no repara mucho en eso. Su rostro irradia un gozo que inspira y contagia. Es uno de los mejores cristianos que podamos encontrar.

HISTORIA **22**

Excavando por una Bicicleta

¿HA OIDO alguien una cosa semejante? ¿Excavando por una bicicleta? ¡Muy cierto! ¿Y cómo fue eso?

"Entonces —dirá alguno— debe haber estado cubierta de moho cuando la hallaron".

No; no fue así. ¡No podía estar más brillante y reluciente! Era nueva, flamante.

¿Y cómo podía una bicicleta así estar enterrada?

Roberto, de once años de edad, había anhelado tener una bicicleta por largo tiempo. Se la había pedido a su padre vez tras vez. Pero siempre que lo hacía, su padre le contestaba:

—Lo siento, Roberto, pero no tengo dinero ahora para comprar bicicletas. Temo que tendrás que esperar un poco más.

Así que Roberto esperó y esperó. Entre tanto, todos sus amigos adquirían sus bicicletas, algunos como regalos de Navidad, y otros, de cumpleaños. Por fin dijo:

—¿No habrá alguna manera en que yo pueda ganar suficiente dinero para comprar la mía?

—Ahora sí que estás hablando bien, con sentido común —le dijo el padre—. Esa es la mejor forma que conozco para adquirir las cosas que necesitamos: ¡ganar el dinero! Y si tú ahorras para comprar la bicicleta que tanto deseas, te aseguro

que la disfrutarás diez veces más que si te la regalara un tío rico.

—Pero ¿qué puedo hacer para ganar dinero? —preguntó Roberto.

—Bien —le respondió el padre—, yo deseo remover la tierra del huerto y prepararla para sembrar, y como no tengo tiempo para hacerlo, necesito emplear a alguien para que me lo haga. Si tú lo hicieras tan bien como cualquier otra persona, arrancando las malezas más grandes, entonces me gustaría contratarte para ese trabajo.

—¿Y de verdad me pagarás lo mismo que le pagarías a otra persona? —inquirió Roberto.

—Seguro que lo haré —le contestó el padre—. Te tomará más tiempo hacerlo que a un hombre que tenga sus herramientas especiales, pero te pagaré lo mismo que a él si haces bien el trabajo. ¿Qué dices, Roberto?

—Comenzaré ahora mismo —respondió Roberto— si me dices cómo hacerlo. Y Roberto cumplió con el convenio e hizo bien el trabajo.

¡Me hubiera gustado que ustedes hubieran visto el entusiasmo y la persistencia de Roberto! Trabajaba en la mañana antes de marcharse para la escuela; y volvía a su trabajo por la tarde cuando regresaba a su casa. Hacía el trabajo sin quejas ni murmuraciones, y sin que nadie se lo estuviera recordando. Trabajaba como si amara su trabajo, y como si quisiera hacerlo mejor que ningún otro antes de éste. Preparó tan bien el terreno, que la superficie lisa y suave parecía una gran masa oscura.

El papá estaba muy complacido, y dijo que prefería que Roberto preparara el huerto antes que lo hiciera cualquier otra persona. El muchacho experimentó tal orgullo y satisfacción, que prosiguió excavando con más persistencia y rapidez que antes. Algunas veces a la madre de Roberto le costaba mucho hacer que su hijo llegara a la mesa a la hora de comer.

En más de una ocasión trabajaba hasta que oscurecía; y muchos se preguntaban cómo podía ver lo que hacía.

Por fin concluyó la larga y pesada tarea. ¡Con qué alegría

tro tras metro, Roberto excavó la tierra quejarse ni una sola vez.

ERG

fue adonde estaba su padre, y le dijo:

—¡Papá, el trabajo está terminado!

Entonces llegó el momento más feliz de todos: ¡el momento en que Roberto recibió su paga!

Roberto guardó el dinero en su bolsillo. ¡Se sentía rico! Además, hubo otros trabajos que hacer.

Y por fin llegó el momento tan esperado: Roberto y su papá fueron a la ciudad para comprar la bicicleta. ¿Tuvo cuidado Roberto con su dinero? Bueno, él examinó cuidadosamente las bicicletas, e hizo toda clase de preguntas que dejaban confundidos a los vendedores; parecía un experto en finanzas. Finalmente se decidió por una. Pagó el precio y salió con su preciosa bicicleta.

El padre no le permitió que la montara en medio del tráfico intenso, y por eso tuvo que empujarla la mayor parte del camino. Pero no se sintió mal porque experimentaba una intensa alegría al sostenerla por la silla y los manubrios. Cuando Roberto comparaba su bicicleta con la de sus compañeros, sentía en una forma u otra que la suya era la mejor de todas.

Ahora les dejo saber un secreto: Roberto aún estima mucho su bicicleta, aun cuando ya tiene cinco años de uso y es demasiado grande para pasear en ella. Como podemos darnos cuenta, el haber trabajado para poder ganarla hizo que la apreciara más que si se la hubieran regalado.

Quizá hay algo que ustedes anhelan mucho, pero que no han podido comprar por falta de dinero. ¿Por qué no tratan, en una manera u otra, de hacer algo, aunque sea excavar, para obtenerlo?

HISTORIA **23**

La Caída de Antonio

ANTONIO sabía perfectamente bien que no debía subir al entretecho o desván. Tanto su mamá como su papá se lo habían prohibido en repetidas ocasiones. Sin embargo, persistía en desobedecer.

¿Por qué? No lo sé. Quizá porque era un lugar oscuro y misterioso; a lo mejor porque allí estaban sus juguetes viejos o, posiblemente, porque se le había prohibido subir a ese lugar.

Algunos muchachos son así, si se les prohíbe hacer alguna cosa, no pararán hasta que no la hayan hecho.

En algunas ocasiones en que se acercaba a la escalera, subía, y entreabría la puertecita para echar dentro un rápido vistazo. Pero cuando escuchaba la voz familiar de su mamá que le decía: "Antonio, ¿qué haces ahí arriba?", se bajaba rápidamente.

—Pero, ¿por qué no puedo subir al desván? —solía preguntar a su mamá.

—Porque el piso no es sólido —era la respuesta invariable de la madre—; te lo he repetido cientos de veces. Aunque te pares sobre los travesaños, puede romperse el piso y hacerte un gran daño al caer.

—No me caeré —solía repetir Antonio—. Yo podría caminar sobre los travesaños tan bien como lo hace papá. No me caeré. No me sucederá nada.

—Eso es lo que tú crees —le decía la madre—. De todas maneras, manténte alejado de ese lugar.

Un día en que la madre se encontraba limpiando uno de los dormitorios, oyó un ruido extraño en el techo. Se detuvo, y escuchó atentamente.

Sí, algo o alguien estaba arriba. "¿Serán ratas, o algún pájaro?", se preguntaba.

No. Los travesaños crujían. Alguien caminaba sobre ellos. ¿Quién sería?

"No puede ser mi esposo pensó ella, pues está en el trabajo. Entonces, ¿quién puede ser? ¡Espero que no sea Antonio después de todas las veces que se le ha dicho que no suba allí!"

—Antonio, ¿estás allí arriba? —preguntó la madre.

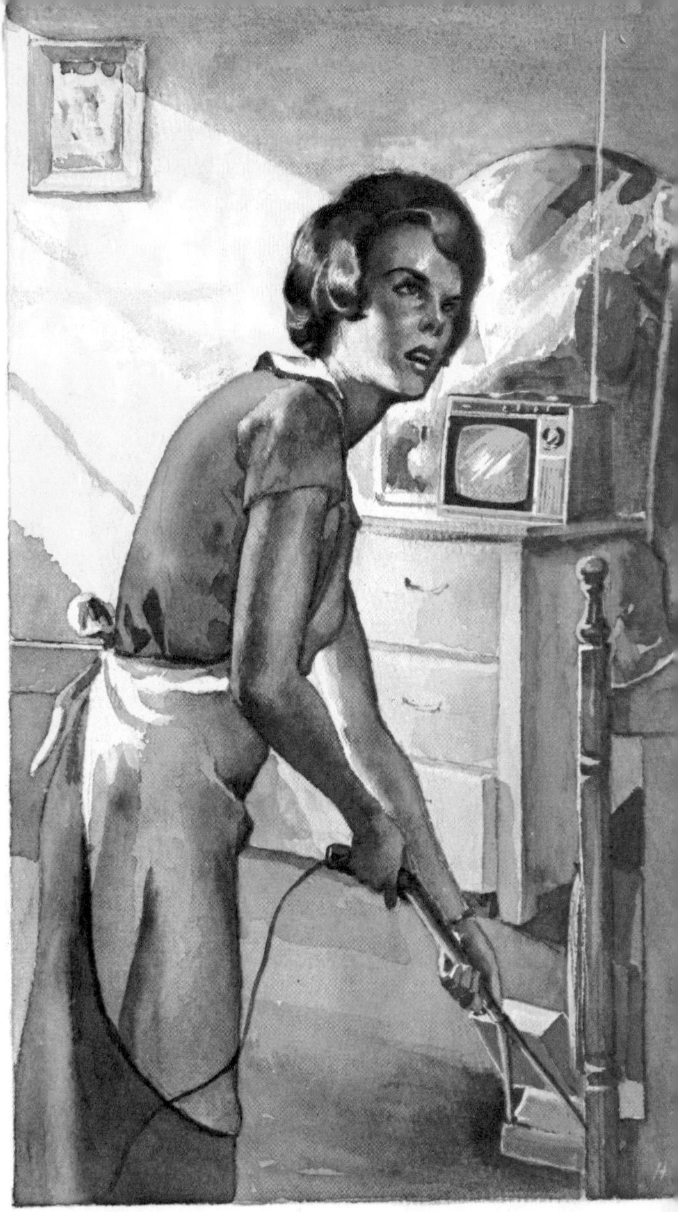

No hubo respuesta alguna. Los crujidos del techo cesaron inmediatamente.

La madre guardó silencio, y esperó por unos momentos.

Los ruidos y los crujidos del techo comenzaron a dejarse oír de nuevo.

—Antonio —preguntó de nuevo la madre—, ¿estás en el cielo raso?

El crujido cesó nuevamente. La madre estaba ahora segura de lo que sucedía.

—¡Antonio —dijo con autoridad—, bájate en seguida!

El bajó, pero no en la forma en que ella esperaba, porque, de pronto se oyó un fuerte crujido. Parte del cielo raso cayó, y algo golpeó a la madre en la cabeza. Luego aparecieron los pies, las piernas y el cuerpo de Antonio.

Afortunadamente para él, cayó sobre la cama. Así que, aparte de algunas astillas incrustadas en sus manos, sólo sufrió un tremendo susto.

Por supuesto, cuando llegó el padre y contempló el terrible desorden que Antonio había provocado, éste sintió algo peor que las astillas. ¡Y no precisamente en las manos! Llorando, prometió no desobedecer nunca más a sus padres.

HISTORIA **24**

Nuestro Mundo Maravilloso

IRIS y su hermano Armando, sentados a la lumbre del hogar, escuchaban la acostumbrada historia antes de acostarse. En la televisión habían visto a los astronautas caminar sobre la Luna y habían visto la Tierra azul y plata proyectada en el espacio oscuro. La niña, volviéndose hacia su madre, le preguntó:

—Mamá, ¿qué tamaño tiene el mundo?

—¿Qué tamaño tiene el mundo? —repitió la madre—. Bueno, es muy grande. Si tuvieses que caminar alrededor de él, tendrías que viajar miles y miles de kilómetros atravesando montañas, desiertos y océanos durante años y años.

—¡Oh, estaría muy cansada cuando regresara a mi casa! —comentó Iris.

—Estoy segura de que lo estarías.

—¿Cuánto tiempo tomaría hacer este largo recorrido? —preguntó Armando.

—No puedo decírtelo ahora mismo —respondió la madre sonriendo—. Trae papel y lápiz para ayudarte a sacar la cuenta. Bueno, si caminaras unos 16 ó 19 kilómetros diariamente tardarías..., ¡ajá! —va diciendo mientras saca la cuenta—, ya está, ¡demorarías casi siete años!

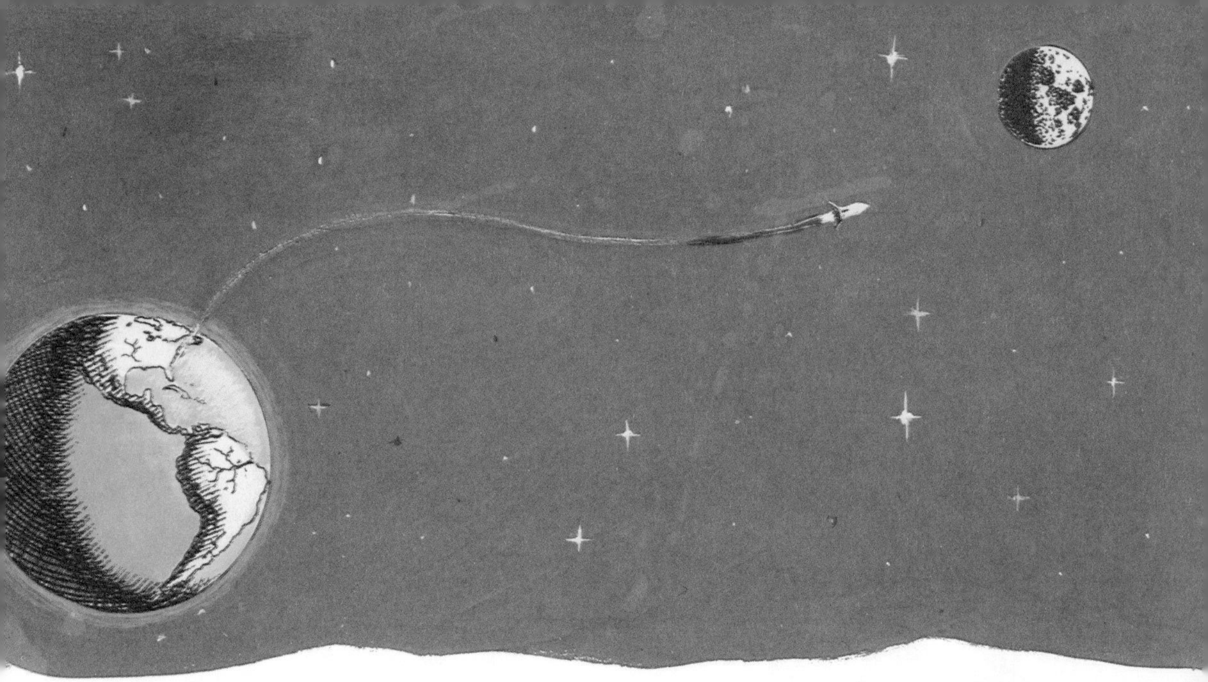

—¿Siete años? —preguntó sorprendido Armando—. Este mundo es muy grande.

—En la televisión se lo ve muy pequeño desde la Luna —agregó Iris.

—Muy bien —respondió la madre—; si ustedes se imaginan la Tierra del tamaño de la pelota de béisbol de Armando, la Luna, que gira alrededor de la Tierra, sería en este caso del tamaño de una metra o bolita de vidrio de jugar. Imaginémonos ahora a estas dos girando una vez cada año alrededor del Sol, al que, en proporción al tamaño, bien podríamos comparar con nuestra casa. Siguiendo la comparación, las personas que viven sobre la tierra serían más pequeñitas que las partículas de polvo que hay sobre la pelota de béisbol.

—¡Mamá! —exclamó Armando maravillado—, ¿cuánto tiempo necesitan los astronautas para llegar a la Luna?

—Bueno, primero la nave espacial se pone en órbita alrededor de la Tierra. Cuando la nave sale de esta órbita rumbo a la Luna, se encuentra a unos 385 mil kilómetros de ésta, lo que es igual a diez vueltas alrededor de la Tierra. Este viaje dura tres días.

"Cuando los astronautas salen para entrar en órbita alrededor de la Tierra, viajan a unos 28 mil kilómetros por hora; pero cuando salen de esta órbita para la Luna su velocidad aumenta mucho" —explicó la madre.

—¡Oh —interrumpió Iris—, eso sí es velocidad! ¿Cómo pueden ellos llevar suficiente combustible?

—Es que no usan combustible todo el tiempo —aclaró Armando—. Una vez que han alcanzado suficiente velocidad, apagan los motores y avanzan; y encienden de nuevo los motores cuando necesitan cambiar de rumbo. Pero llevan suficientes alimentos y oxígeno para ir y regresar.

—¿Y qué se puede decir del viaje al Sol? —preguntó Iris de nuevo—. ¿Se atreverán los astronautas a hacer ese viaje?

—Serían bastante testarudos si intentaran hacerlo —aclaró la madre—. Creo que nunca se atreverán a tanto. El Sol es una inmensa bola de fuego miles y miles de veces más grande que nuestra Tierra, y a ninguno le agradaría hacer semejante vuelo. Una nave espacial que viajara en dirección al Sol sería reducida a cenizas aun estando muy lejos de él.

—Si es tan caliente ¿por qué no nos quema a nosotros? —preguntó Armando.

—Muy sencillo —repuso la madre sonriente—: El Sol está a 150 millones de kilómetros de la Tierra, o sea unas 400 veces más distante de nosotros que la Luna.

—¿Y qué puedes decirnos de las estrellas? —volvió a preguntar Iris—. ¿Están más cerca de nosotros?

—En ninguna manera —aclaró la madre—. Están mucho más distantes. La estrella más cercana a nosotros está 300 mil veces más lejos que el Sol.

—¡Oh! ¡Qué lejos! —exclamó Iris maravillada.

—Sí —concordó la madre—. La distancia es tan grande que difícilmente podemos entenderla. Ni aun podemos imaginarla. Y lo más maravilloso es que esas estrellas, por pequeñas que nos parezcan a simple vista, son soles inmensos, algunos de ellos mucho más grandes que nuestro Sol. Nos parecen pequeñas a causa de las enormes distancias que nos separan de ellas.

—Mamá, ¿y podría saberse cuántas estrellas hay? —continuó preguntanto Iris.

—No lo sé, ni nadie lo sabe. En una noche clara se podrán ver unas tres mil estrellas; pero con un telescopio poderoso se verían muchas más. Nadie las ha visto a todas aún.

—¿Y es cierto que algunas de las estrellas son tan brillantes y calientes como el Sol? —preguntó Armando.

—Así es —contestó con voz firme la madre —. Hasta donde sepamos, alumbran a otros mundos semejantes al nuestro y dan calor a personas como nosotros.

—¡Qué maravilloso es el lugar en que vivimos! —exclamó Armando.

—No hay duda de que así es —asintió la madre—; y cuanto más lo estudiemos, más maravilloso nos parecerá. La Tierra, la Luna, los planetas, el Sol y las estrellas, todos se mueven en perfecto orden. En la noche podemos saber dónde encontrar cada estrella, y nuestros días son determinados por el movimiento del Sol. Ustedes nunca han oído que hayan chocado dos estrellas, o que la Luna se haya salido de su órbita.

—¿Y cómo fue hecho todo esto? —preguntó Iris.

—Algunas personas declaran ahora muy seriamente que todo se hizo por casualidad —explicó la madre—; pero nosotros no creemos en tales ideas. Alguien tuvo que planear y pensar todo en el principio.

"Nosotros sabemos quién lo hizo, y cómo —continuó

ella—. En los primeros versículos de la Biblia dice así: 'En el principio creó Dios los cielos y la tierra' (Génesis 1:1). —Y abriendo la Biblia, añadió:

"Notemos estas palabras del rey David: 'Por la palabra de Jehová fueron hechos los cielos... porque él dijo, y fue hecho; él mandó, y existió' (Salmo 33: 6, 9). Y el Nuevo Testamento nos enseña que el que realmente hizo este universo fue Jesús: 'Porque en él [en Jesús] fueron creadas todas las cosas, las que hay en los cielos y las que hay en la tierra... Todo fue creado por medio de él y para él' (Colosenses 1: 16-17)".

—¿Entonces —preguntó Iris— Jesús estuvo en el cielo antes de venir a la tierra?

—Por supuesto que sí —afirmó la madre—. Cristo enseñó que él había estado con su Padre "antes que el mundo fuese" (S. Juan 17: 5). Y como Cristo creó este mundo, era muy doloroso para él que uno de los mundos que había creado hubiera escogido hacer lo malo y que ya no amara a su Creador. Vino para demostrarnos su amor y para restaurarnos a la perfección con que nos había creado.

"Bueno, creo que ya es hora de que se vayan a la cama, —concluyó diciendo la mamá. Mañana en la noche continuaremos hablando sobre este tema tan interesante".

HISTORIA **25**

Los Habitantes de Nuestro Mundo

LA NOCHE siguiente Armando e Iris recordaron a la madre su promesa de seguirles contando de las cosas maravillosas que habían escuchado la noche anterior.

—Yo quiero que nos digas de dónde viene toda la gente que vive en el mundo —comenzó Armando—. Juan me dijo en la escuela que todos descendemos de los monos.

—Esta es una pregunta muy buena e interesante —observó la madre.

—¿Eso quiere decir que todos tuvimos cola alguna vez? —preguntó Iris.

—No, hija. La creencia de que la gente procede de los monos es incorrecta. Yo les explicaré exactamente cómo sucedió todo.

"Recordarán que el primer capítulo del primer libro de la Biblia, que se llama Génesis, nos dice cómo fueron creados el mundo, los árboles, las flores, los animales y el hombre. 'Porque él [Dios] dijo, y fue hecho; él mandó, y existió' (Salmo 33: 9). Yo no sé, ni nadie sabe, cuánto tiempo le llevó a Dios planear lo que iba a hacer, pero una vez que estuvo listo para actuar, únicamente pronunció las palabras que necesitaba; y todo lo que deseaba, apareció".

—Esto me hace recordar algo —dijo Armando—. Juan, mi

compañero de clases, me dijo que la maestra enseñó en una clase que la gente era, hace muchísimos años, algo parecido a los gusanos; y que después, lentamente, se fueron transformando en hombres y mujeres. A este cambio se le llama evolución.

—No creo que la maestra dijera "gusanos" —dijo la madre en tono de duda—; sin embargo es verdad que muchas personas creen que todos venimos de formas inferiores de vida, o sea de animales pequeñísimos y sencillos. Pero esas personas no creen en la narración bíblica:

"Y creó Dios al hombre a su imagen, a imagen de Dios lo creó; varón y hembra los creó" (Génesis 1: 27). ¿Dice aquí

 que descendemos de algo parecido a "gusanos" y sin la intervención divina?

—No me gustaría ser un gusano —argumentó Iris—. Sería muy fácil que me aplastaran o me cortaran en pedazos.

—Escuchen de nuevo —les pidió la mamá—. "Entonces Jehová Dios formó al hombre del polvo de la tierra, y sopló en su nariz aliento de vida, y fue el hombre un ser viviente" (Génesis 2: 7). Así fue como el hombre fue creado.

"Vez tras vez la Biblia nos enseña que Dios creó al hombre —explicó la madre—. No hay palabra alguna que enseñe o sugiera que el hombre evolucionó a través de millones de años".

—¿Esta enseñanza tiene algo que ver con lo que nosotros creemos? —preguntó Armando muy pensativo.

—Por supuesto que sí —afirmó ella—. Si el hombre desciende de un animal pequeñito que se agitaba en un pantano, y poco a poco evolucionó por sí mismo, no hay razón alguna para que adore a Dios. Pero si fue creado por Jesús a su imagen y semejanza, tal como lo leímos anoche, entonces debe reverenciar a su Creador, cuidar su cuerpo y amar a su prójimo.

"La gente de ahora es bastante diferente de Adán y Eva —continuó la madre—. Hay personas de muy variadas estaturas, y de piel, ojos y cabellos de diferentes colores. La humanidad está dividida en grupos que hablan lenguas distintas, que piensan en forma muy diferente, y que a menudo se hacen la guerra. Pero todos son hijos de nuestros primeros padres, Adán y Eva, los cuales fueron originalmente creados a la imagen de Dios".

—¿Qué significa "a imagen de Dios"? —preguntó Armando.

—Pienso que significa exactamente lo que dice —contestó la mamá—. Imagen significa semejanza, parecido. Dios hizo al hombre parecido a él. Y es maravilloso pensar en esto ya que Dios creó el Sol, las estrellas, el mundo y todo lo que éste contiene.

Dios creó al hombre con la capacidad de pensar, de escoger, de actuar, de amar; y también lo hizo con la capacidad para escoger entre el bien y el mal.

—Eso quiere decir que la gente no es ahora como Dios —dijo Armando.

—No —respondió la madre—, a menos que le permitamos a Dios que transforme nuestros corazones y nos ayude a crecer a su semejanza.

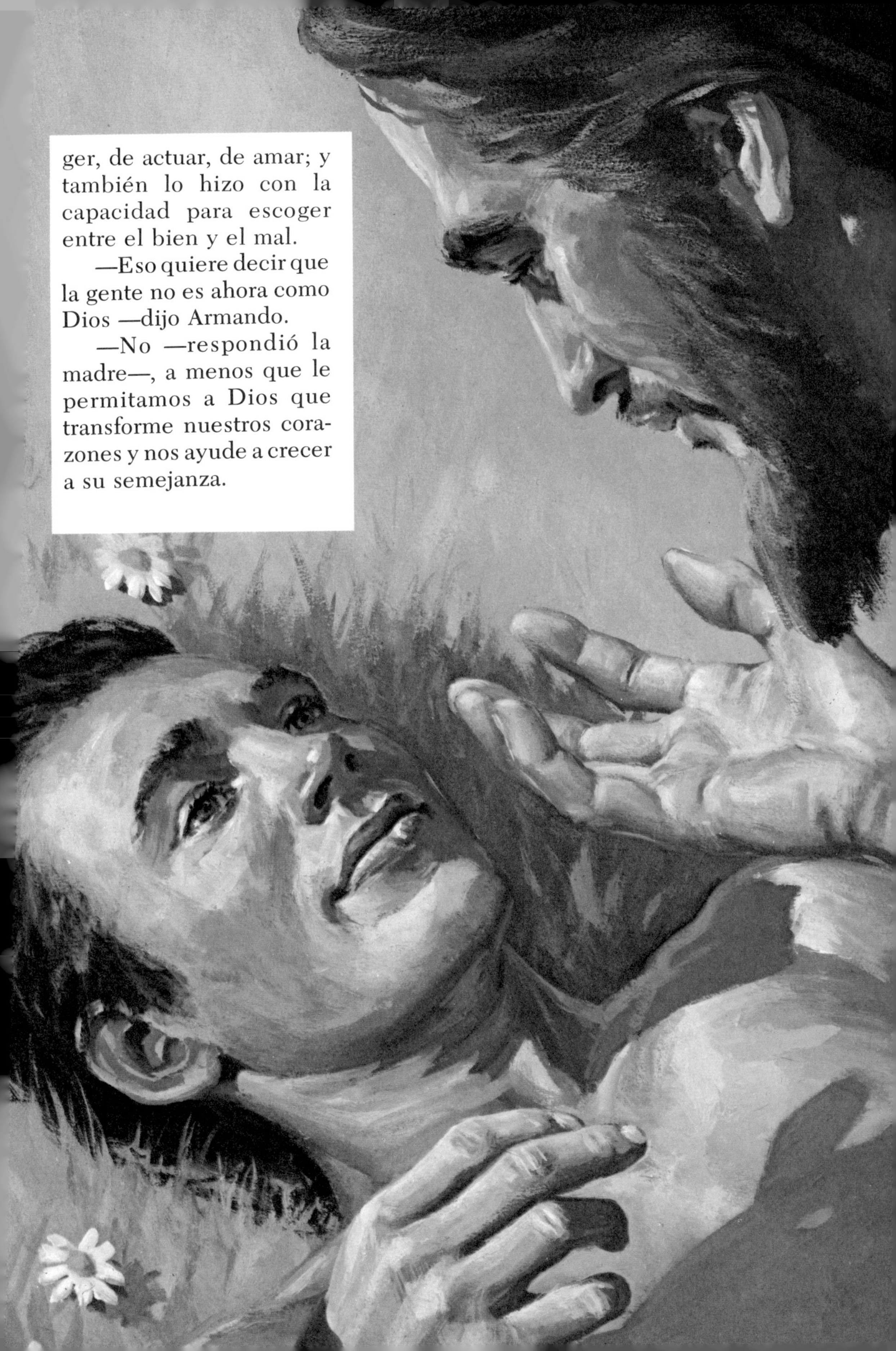

HISTORIA **26**

Los Planes de Dios Para Nuestro Mundo

APENAS se sentaron los tres una vez más junto al fuego del hogar, Armando le pidió a su mamá:

—Mamá, cuéntanos más acerca de la creación del mundo.

—Muy bien —respondió—, comenzaré haciéndoles una pregunta: ¿Por qué la semana tiene siete días?

—Nunca he pensado seriamente en eso —dijo Armando—. Supongo que será porque siempre ha sido así.

—Sí —asintió la madre—; y es así por una razón especial. Ahora, ¿cuántos meses tiene un año?

—Doce —contestó Iris rápidamente—. Enero, febrero...

—¡Correcto! —interrumpió la madre—. ¿Pero por qué?

—Creo que la Luna tiene algo que ver en esto —explicó Armando.

—Es cierto —aprobó la madre—. Los meses fueron originalmente medidos por la rotación de la Luna alrededor de la Tierra cada 29 ó 30 días. Y el año, que se compone de 365 días y una fracción, ¿qué lo determina?

—Yo sé —contestó Armando—: por la vuelta que la Tierra da alrededor del Sol.

—¡Correcto! —exclamó la madre con entusiasmo, y agregó—: En el cielo hay algo para determinar los meses y los años, pero no hay nada que marque el comienzo exacto de la semana; sin embargo, siempre hay siete días en ella. Cada semana comienza con el domingo y finaliza con el sábado. Les diré cómo comenzó —continuó la madre abriendo la Biblia.

"El segundo capítulo de la Biblia, versículos uno y dos, declara que, después que Dios terminó de crear 'los cielos y la tierra, y todo el ejército de ellos [o sea todo lo que existe dentro de ellos]..., reposó el día séptimo [o sábado] de toda la obra que hizo' (Génesis 2: 1-2).

"Podrán recordarlo aprendiendo el cuarto mandamiento —y la madre lo repitió—: 'Recuerda el día sábado para santificarlo. Seis días trabajarás y harás todos tus trabajos, pero el día séptimo es día de descanso para Yahveh [Jehová], tu Dios... Pues en seis días hizo Yahveh el cielo y la tierra, el mar y todo cuanto contienen, y el séptimo descansó; por eso bendijo Yahveh el día del sábado y lo hizo sagrado' (Exodo 20: 8-9, 11, *Biblia de Jerusalén*).

"Esta es la única explicación que se puede dar sobre el

origen de la semana —prosiguió diciendo la mamá—. La semana nació cuando Dios creó nuestro mundo. Cada vez que llega el día sábado, nos recuerda que la historia bíblica de la creación es verdadera y que todas las cosas que existen: el hombre, la Tierra, los animales, las plantas, el Sol, la Luna y las estrellas, fueron hechos por las manos de Dios.

"Dios, tal como lo dijimos en una noche anterior, 'hizo el universo' por medio de su Hijo, Cristo Jesús (Hebreos 1: 2); por tanto, Jesús fue el Creador, y es el Señor del sábado. Cristo, al concluir la creación, 'el séptimo día descansó..., y lo hizo sagrado', concluyó la madre".

—Mamá —interrumpió Armando—, ¿qué le sucederá al mundo cuando Jesús regrese?

—Esa es una pregunta diferente de lo que estamos tratando, ¿verdad? —comentó ella—; pero se relaciona con lo que hemos hablado antes. Y prosiguió:

"En el principio Jesús creó el mundo muy hermoso, y puso en él a dos seres perfectos hechos a su imagen y semejanza. Los amaba, y estaba dispuesto a hacer todo de su parte para hacerlos felices. Pero ellos hicieron algo incorrecto, y a causa de esto perdieron todas las cosas buenas y perfectas que tenían. ¿Saben ustedes qué sucedió más tarde cuando la gente se llenó total-

Las maravillas de este mundo no tienen comparación con las del cielo.

H ANDERSON © R. & H.

mente de maldad?" —preguntó la madre.

—Dios tuvo que enviar el diluvio, y se salvaron en el arca sólo Noé y su familia —contestó Iris.

—Así es —asintió la madre—. Pero cuando la gente se multiplicó de nuevo, se volvió a olvidar de Dios.

"Finalmente —continuó ella— Jesús vino en forma personal a la tierra para manifestar en forma sencilla cuánto nos ama. Mientras estuvo aquí les dijo a sus discípulos algunas

Harry Anderson

cosas que él haría por ellos. Escuchémosle: 'En la casa de mi Padre muchas moradas hay; si así no fuera, yo os lo hubiera dicho; voy, pues, a preparar lugar para vosotros. Y si me fuere y os preparare lugar, vendré otra vez, y os tomaré a mí mismo, para que donde yo estoy, vosotros también estéis' (S. Juan 14: 2-3)".

—Entonces —intervino Iris— si Jesús viene y se lleva al cielo a los que lo aman, ¿que sucederá con la tierra?

—La Biblia nos da la respuesta —le contestó la madre—: Jesús hará de este mundo uno completamente nuevo y más hermoso que el que creó al comienzo de todas las cosas. Todo lo malo será destruido por el fuego cuando Jesús aparezca, y en su lugar se volverán a ver, y estarán para siempre, todas las cosas gloriosas que Jesús hizo en el principio para este mundo.

—Me gustaría mucho vivir allí —dijo Iris.

—Puedes algún día vivir allí, si así lo deseas —respondió la madre—. Todos los que aman a Jesús podrán disfrutar de la felicidad perfecta de aquel lugar anhelado.

—¿Así que eso es lo que le sucederá a este mundo? —preguntó Armando.

—Sí —respondió la madre—; y será algo no muy lejano. Así nos lo dice la Biblia, y por tanto tiene que ser cierto.

—Mamá, ¿tú crees que Cristo vendrá pronto? —le preguntó Iris.

—Lo creo —dijo la madre en tono de afirmación—. Por supuesto, nadie puede decir cuándo será. El dijo a sus discípulos que vendría cuando el Evangelio fuera predicado a todo el mundo y todos lo hayan escuchado.

—Iris, ¡imagínate lo que será ver a Jesús! —exclamó Armando.

—Sí —intervino la madre—. ¡Parece demasiado hermoso para ser cierto! Pero debemos dejar que Jesús nos ayude a prepararnos y así podamos tener una parte en su reino eterno cuando él regrese.

n el bello hogar que Jesús está prepa-
ando para los niños y las niñas que le aman
einarán el amor, la paz y la felicidad.

ANDERSON © R. & H.

HISTORIA **27**

La Niñita Gruñona

POR supuesto, éste no era su nombre. Y se disgustaba mucho cuando la llamaban así; pero casi nadie sabía su verdadero nombre.

"La niñita gruñona" era el apodo que había recibido de su papá, y ya me supongo que ustedes sabrán por qué. Sí, siempre estaba rezongando. Debería haber vivido en la ciudad de los rezongones; pero no, vivía en una casa muy cómoda y bonita con su papá, su mamá y un hermanito. En realidad, no tenía causa alguna para refunfuñar, pues además de un bello hogar tenía vestidos muy bonitos, muchos juguetes y todo lo que deseaba para comer.

¿Qué más podía desear esta niñita? ¿Muñecas? Tenía todas las que quería con cama y cochecito para pasearlas. ¿Dulces? Todas las semanas recibía una bolsa de dulces surtidos. ¿Dinero? Tenía tanto que hasta podía ahorrar para comprar una bicicleta.

—Entonces —se preguntarán ustedes—, ¿por qué rezongaba tanto?

No lo sé. ¿Verdad que las niñitas se portan algunas veces

en forma muy extraña? No siempre hacen lo que se espera que hagan. Esta era la forma en que se comportaba "la niñita gruñona". Nunca parecía estar contenta.

Sus rezongos, ¡qué cosa tan terrible!, comenzaban antes de levantarse de la cama. Generalmente empezaban con un "¡Quédate quieto, Santiago!", con lo cual la madre solía preguntar inmediatamente: "¿Qué sucede?"

Entonces "la niñita gruñona" respondía en tono quejumbroso: "Santiago está cantando, y yo quiero dormir", o "Santiago me está tirando almohadas", o "Santiago me está haciendo muecas".

A la hora del desayuno "la niñita gruñona" continuaba con sus quejas: "No me gusta este cereal", o "Si no puedo tener mi desayuno favorito no quiero comer nada".

Cuando llegaba la hora de practicar la lección de piano comenzaba a quejarse: "No quiero practicar; mis dedos están duros", o "He tocado esta pieza vieja vez tras vez; y ahora no quiero ni verla".

Pero la hora de la comida del mediodía era la peor de todas. Casi todos los días, no importaba qué sirviera la mamá, ella decía que no se podía comer porque estaba mal hecho.

Cuando recibía su plato y observaba algo que no le agradaba, mascullaba entre dientes, sin consideración alguna para con su madre: "¡Oh, otra vez esta bazofia para comer!"

Frecuentemente su padre le pedía que se levantara de la mesa y se fuera a su cuarto a causa de su necedad, pero esta medida no parecía causarle mucho provecho, y le decía que si ella no dejaba de refunfuñar tendría que castigarla.

Un día, a la hora de comer, "la niñita gruñona" comenzó de nuevo a rezongar:

—¡No me gusta nada esta comida! —comenzó a decir—. ¡Ya me han dado mucho de este repollo tan desagradable!

—¡Hija —la aconsejó la mamá—, recuerda lo que te dijo tu papá! Hay miles de niños que estarían muy contentos si tuvieran un alimento tan bueno como el que te he servido. Debes comértelo todo antes de regresar a la escuela.

"La niñita gruñona" sabiendo que no debía desobedecer a su papá, fingió que comía, picando en el plato aquí y allá como un pajarito.

Cuando todos terminaron de comer, ella apenas había comenzado. La mayor parte de la comida estaba todavía en su plato. Entonces el padre se levantó de la mesa, y la madre se fue a limpiar la cocina; en tanto, la niña se quedó en la mesa para terminar de comer.

De pronto se oyó el sonido del timbre para comenzar las clases. La niña lo oyó. Ella sabía lo que le esperaba si llegaba tarde. Así que, levantándose silenciosamente de la mesa, se puso su abrigo y salió rápidamente por la puerta de atrás, sin despedirse de nadie.

Poco después la madre regresó al comedor, y halló que "la niñita gruñona" se había ido sin comer.

—Muy bien, mi pequeña —dijo la madre—, ya verás qué va suceder.

Las clases terminaron, y la niña regresó al hogar. Ya casi había olvidado lo que había hecho en la comida anterior. Lo que sí sentía ahora era mucha hambre.

La cena estaba servida. Había una sopa deliciosa. La niña pensó que se iba a celebrar algo especial porque en la mesa había torta, gelatina, helado y otras cosas muy sabrosas. Estaba segura que disfrutaría de la cena.

Cuando todos se sentaron a la mesa, la madre entró y le trajo la comida que había dejado horas antes.

—Las niñas deben aprender —dijo la madre con una sonrisa— que no deben rezongar por causa de los alimentos nutritivos. Hija mía, debes comerte todo lo que dejaste para que luego puedas participar de todas estas cosas deliciosas que están sobre la mesa.

¡Cuánto deseó "la niñita gruñona" haberse comido la comida en el momento apropiado! Ahora le parecía menos apetitosa y por supuesto, estaba fría.

—¡Yo..., yo..., no..., no..., quiero..., comérmelo..., ahora! —suplicaba.

Los demás comenzaron a comerse las otras cosas, que pronto empezaron a desaparecer de la mesa. La niñita, sentada, observaba en silencio sin poder contener las lágrimas que resbalaban por sus mejillas.

Entonces pensó que si no se apuraba a comer se quedaría sin el postre. Así que cogió su tenedor.

—¡Está comiendo! —dijo Santiago.

—Pero no es bueno que lo estés diciendo —le dijo el padre que, junto con la madre, pretendía no darse cuenta de lo que sucedía.

En cinco minutos desapareció todo el alimento, y una sonrisa se dibujó en el rostro de "la niñita gruñona". Estaba contenta de poder comerse un buen pedazo de torta.

Cuando los niños se fueron a la cama esa noche, el padre le dijo a la madre:

"Yo creo que Rosita no volverá a rezongar más a la hora de comer".

Y así fue. ¡No lo hizo más!

HISTORIA **28**

Sin Mala Intención

PATRICIA, una de las muchachas más amables de la escuela, estaba sentada en un banco en el campo de juegos con sus piernas estiradas hacia adelante. Hablaba con una de sus amigas.

De pronto pasó un grupo de compañeras corriendo a su lado. Una de ellas tropezó con uno de los pies de Patricia, y cayó pesadamente en tierra. Se levantó, y muy disgustada, le dijo:

—¡Tonta! ¡Me has hecho caer a propósito! ¡Pusiste tu pie para que me cayera!

—¡Mónica —le explicó Patricia—, yo no lo hice queriendo! ¡Créeme, fue un accidente! ¡Lo siento mucho!

—¡No fue un accidente! —le respondió Mónica muy airada—. ¡Te conozco! ¡Me odias y por eso fue que lo hiciste!

—¡Yo no te odio! ¡Puedes creerlo! —le respondió Patricia cortésmente—. ¡En ese momento ni aun estaba pensando en ti!

—¡Me vengaré de ti! —la amenazó Mónica—. Ya verás.

Una de las maestras, al escuchar las voces y ver el tumulto, se acercó para ver qué sucedía.

—¿Qué pasa aquí? —preguntó.

J. WHITE

—¡Patricia me ha hecho caer a propósito! —dijo Mónica muy disgustada.

—¡No es cierto! —se defendió Patricia—. Yo estaba sentada con las piernas estiradas, y Mónica tropezó y se cayó. Fue un accidente.

La maestra, que conocía bien a las dos muchachas, intervino:

—Mónica, si Patricia dice que no lo hizo a propósito, debes aceptarlo. Ella no tiene motivos para hacerte caer, y tú no tienes, por lo tanto, razón alguna para acusarla. En muchas ocasiones, cosas que parecen haber sido hechas a propósito no son más que accidentes.

Mónica, no conforme con esta explicación, se retiró repitiendo entre dientes que se vengaría. El tumulto se disolvió. Pocos momentos después todos habían olvidado el accidente. Sin embargo, dos o tres días después hubo motivo para recordarlo. Sucedió en la forma siguiente:

Las muchachas estaban jugando al béisbol. Patricia bateó la pelota, y Mónica la recogió y la lanzó fuera; pero la pelota, desviándose golpeó a Patricia fuertemente en la cabeza.

—¡Oh! —gritó Patricia haciendo esfuerzos para no llorar.

Todas las jugadoras se reunieron para ver cuán fuerte había sido el pelotazo.

—Esto lo hizo Mónica para vengarse de ti —dijo una muchacha.

—¡No es cierto! —gritó Mónica—. No tuve intenciones de golpearla.

—¡No lo niegues! ¡Lo hiciste a propósito! —agregó otra.

—¡Te repito que no fue así! —respondió de nuevo Mónica, bastante disgustada—. ¡Fue un accidente!

Entonces Patricia demostró la nobleza de su corazón:

—Te creo Mónica. Estoy segura de que fue un accidente. Yo sé que no quisiste hacerme ningún daño a propósito.

Inmediatamente Mónica recordó su accidente anterior y todas las palabras descorteses que le había dicho a Patricia en esa ocasión, sin motivo alguno.

—¡Eres muy amable en decírmelo! —le respondió Mónica—. ¡Te aseguro que lo que sucedió fue un accidente!

—Puedes estar segura de que así lo creo —le contestó Patricia tratando de sonreír mientras se ponía las manos en la parte dolorida.

Las demás muchachas volvieron al juego, dándose cuenta de que algo muy bueno había sucedido.

Y así fue. Patricia había manifestado un gran espíritu de perdón, y Mónica había aprendido que a menudo ciertas cosas que parecen ser hechas a propósito no son más que accidentes.

Y desde ese día en adelante, Patricia y Mónica fueron grandes amigas.

HISTORIA **29**

Los Invasores

A MARTA y a Josefina les gustaba mucho mirar televisión. En realidad lo hacían todo el tiempo que podían.

Cualquiera de las dos prendía el televisor apenas se levantaban en la mañana, y no lo apagaban hasta que se iban a la cama por la noche. El padre estaba todo el día en el trabajo, y la madre pasaba en la casa sólo unas horas cada día; así que, durante las vacaciones, las dos niñas veían lo que querían.

Una tarde observaban un programa en el cual los actores hablaban con voz muy disgustada y se escuchaban disparos de armas de fuego.

—¡Hurra! —exclamó Josefina aplaudiendo—. ¡Es la hora de los niños, y es seguro que habrá otra historia de crimen! Llamemos a mamá para que la vea.

Ambas corrieron hacia la cocina en donde la madre estaba preparando la cena.

—¡Mamá, ven para que veas! —le rogaron ambas—. ¡Apresúrate, mamá! ¡Ya comenzaron los disparos! ¡Será algo muy interesante! ¡Ven a ver con nosotras!

—Estoy muy ocupada —respondió la madre—. No puedo ir ahora.

—¡Ven, por favor! Sabemos que habrá un crimen —le dijo Marta—. Quizá varios.

—¿Un qué? —exclamó la madre horrorizada.

—Un crimen —repitió Josefina en tono misterioso.

La madre finalmente decidió dejar a un lado sus quehaceres para ir a la sala.

En la pantalla del televisor aparecían muchos autos y hombres dentro de ellos, que disparaban sus armas.

Marta y Josefina se sentaron. Sus rostros estaban tensos.

Inmediatamente se dejaron escuchar los gritos y los lamentos de las personas heridas, los golpes de los autos chocando unos con otros, y más y más disparos.

—¡Ya están muertos! —susurró Marta—.

—¡Sí, sí! —contestó llorando Josefina que difícilmente se mantenía en su asiento—. ¡Me pregunto cuántos habrán muerto! ¡Espero que capturen a los asesinos! Mamá, ¿no es algo muy conmovedor?

—¡Cállate, hija! —exclamó la madre. Y a continuación agregó—: ¡Apaguen ese televisor! ¡Oh, nunca me imaginé que ustedes estuvieran viendo cosas tan horribles!

—Pero mamá —intervino Josefina mientras se dirigía a apagar el televisor—, ésta es la hora de los niños.

—¡Sea o no sea la hora de los niños —repuso firmemente la madre—, no puedo permitir que mis hijas estén viendo y escuchando cosas semejantes a éstas! Ahora me doy cuenta

por qué ustedes a veces tienen pesadillas.

—¡Pero mamá —le rogó Marta—, déjanos ver un poco más, por favor!

—¡No, eso no! ¡Pueden buscar algo bueno en otro canal!

Josefina prendió de nuevo el televisor, y se escuchó una música muy bulliciosa.

—¡Escuchen! —dijo Josefina—; es música de *rock and roll.* ¿No te agrada, mamá?

—Josefina, me extraña eso en ti —repuso la madre—. ¡Apaga ese aparato en seguida! ¡Seguro que ustedes no oirán música tan peligrosa como ésta! ¡Nunca pensé...!

—Siempre la escuchamos y nos gusta —respondió Marta.

—Marta —contestó la madre solemnemente—, esto tiene que acabarse. No puedo dejar que mis dos hijas escuchen música como ésta.

—Mamá, ¿y no podemos ver después

de éste los programas que nos gustan? —gimió Josefina.

—No, hasta que no aprendan a distinguir entre lo bueno y lo malo —replicó la madre—; y veo que ustedes no lo saben hacer todavía.

—Bueno, ¿y cómo podemos saber si una cosa es buena o mala? —preguntó Marta.

—Hay una forma de saberlo —le respondió la madre —. Mucho antes de que aparecieran la radio y la televisión, la madre de Juan Wesley les enseñó a sus hijos que, si querían saber cuándo una cosa era buena o mala, debían seguir la siguiente regla: "Todo lo que debilita tu razón, deteriora la sensibilidad de tu conciencia, oscurece tu sentido de Dios o apaga tu anhelo de las cosas espirituales; todo aquello que fortalece la supremacía del cuerpo sobre la mente, es pecado".

—No entiendo qué significa todo eso —aclaró Josefina.

—Quizá sea un poco difícil —repuso la madre—, pero sencillamente significa esto: Nunca debemos hacer, o decir, o escuchar alguna cosa que desagrade a Jesús, o que disminuya nuestro amor por él y las cosas que él ama.

"Yo sé con toda seguridad que a él no le agradan las cosas que hemos visto y oído esta tarde. Debemos aprender a elegir únicamente las cosas buenas. Tenemos que aprender a abrir las puertas del corazón a las cosas buenas, a las que traen felicidad, y cerrarlas a las que son malas".

Después de esta conversación, Marta y Josefina fueron mucho más cuidadosas con sus entretenimientos y cuando encendían el televisor acostumbraban preguntarse: "¿Le agradará a Jesús que veamos este programa?"

Muy pronto pudieron decir, casi tan bien como su mamá, qué programas podían ver, y cuándo debían cerrar las puertas de su corazón para que no entraran en él las cosas malas.

Sólo los jóvenes valientes pueden cerrar las puertas de su

mente, de sus oídos, de sus ojos y de su boca a las cosas que destruyen el alma.

Hace muchos años la ciudad de Londonderry, en Irlanda del Norte, fue atacada y sitiada por el enemigo. Mientras esto sucedía, los gobernantes se reunieron para decidir si debían defender la ciudad para salvarla, o abrir sus puertas para que entrara el invasor. Unos jovencitos que apenas comenzaban a aprender los oficios con los cuales iban a vivir, corrieron hacia las puertas de la ciudad, las cerraron y las aseguraron. El enemigo no pudo entrar, y la ciudad se salvó.

¡Cuán bueno será que la próxima vez que se sientan ustedes tentados a ver, a escuchar o a decir algo que no edifica, recuerden que deben cerrar las puertas, y lo hagan!

¡Es muy difícil a veces cerrar las puertas de los oídos! ¡Pero debe hacerse! Siempre que el enemigo venga y trate de entrar en la fortaleza de nuestra alma por medio de alguna historia impura, de un lenguaje grosero o alguna insinuación

Tendrás una mente sana si resuelves no mirar, ni hablar, ni oír lo malo nunca.

R. HARLAN

mala, debemos recordar a los jovencitos aprendices de Londonderry, ¡y cerrar las puertas!

Si el enemigo marcha por la avenida de los ojos con escenas y espectáculos malos, ya sea en la televisión, en las revistas o en libros no recomendables, entonces es el momento de levantarse en forma desafiante, ¡y cerrar las puertas!

Cuando nuestro enemigo quiera entrar por nuestra boca por medio de palabras obscenas y de mentiras, hay que ponerse en pie, y defenderse, cerrando las puertas al enemigo.

En esta forma defenderemos la fortaleza de nuestra alma de toda clase de mal, y obtendremos la victoria.

HISTORIA **30**

Un Regalo Para la Abuela

LUCIA, una simpática niñita, vivía en un lugar muy pobre de la ciudad, precisamente al lado opuesto de la misión cristiana. Era una niña buena, y le gustaba asistir a las clases de Biblia.

Un día, cuando la Navidad ya estaba cerca, la maestra habló sobre los regalos, y por qué es mejor darlos que recibirlos. Y citó las palabras de Jesús, que dicen: "Más bienaventurado es dar que recibir" (Hechos 20: 35). Ella esperaba que todos los niños y las niñas de la clase se acordaran de dar a sus padres en ese día, aunque más no fuera algo pequeño, pero que demostrara su amor por ellos.

Lucía pensó bastante en lo que la maestra había dicho, y se preguntaba cómo podría darle un regalo a todos los de su casa. Su papá le daba 25 centavos cada semana para que los gastara, pero esta cantidad no es una gran cosa. Sin embargo ella pensó que de alguna manera trataría de comprar algo para su mamá, su papá, su hermano y su hermana. ¡Pero de pronto se acordó de su abuela! ¿Qué le regalaría a su abuela?

La próxima vez que fue a la clase le preguntó a la maestra si ella pensaba que Dios se sentiría triste si le daba a su abuela en esa Navidad sólo una tarjeta. La maestra le respondió que estaba segura de que Dios no se disgustaría, y que la abuela se sentiría feliz de recibir las cosas más pequeñas si se las daban con amor.

Y Lucía comenzó a buscar una tarjeta que no costara mucho para regalársela a la abuela.

Un día la encontró. ¡Era la que buscaba! Tenía el retrato de un gracioso gatito, y Lucía recordó que su abuela había perdido un gatito que quería mucho. Compró la tarjeta, y pagó por ella 25 centavos, el dinero que su papá le daba cada semana.

Cuando llegó el día de Navidad, Lucía entregó la tarjeta a su abuela, ¡y cuán contenta se sintió ésta! La ilustración le recordó a su gatito ausente.

Esto le dio una idea brillante a Lucía. "Algún día —dijo para sí— le compraré a mi abuelita un hermoso gatito. ¡Cuán feliz se va a sentir entonces!"

Poco después fue a un negocio en donde vendían gatitos, y preguntó cuánto costaba uno.

—Ocho pesos —respondió el dueño del negocio.

La alegría de Lucía desapareció. ¡Ocho pesos! ¿Cómo podría ella conseguir tanto dinero? A 25 centavos por semana, tardaría treinta y dos semanas en conseguir ocho

pesos. Es decir, ¡le llevaría unos ocho meses!

"No —pensó—; no puedo comprarlo. Tardaría demasiado tiempo".

Entonces pensó que quizá Dios la ayudaría. De vez en cuando, al encontrarse sola y sin que nadie pudiera oírla, elevaba una corta oración: "Amado Jesús: ten la bondad de enviarme unos pesos para que yo pueda comprarle el gatito a mi abuela".

Su fe era grande. Cuando caminaba por la calle miraba constantemente el pavimento, pues esperaba encontrar algún dinero. Pero nunca halló nada.

Pasó un año. La Navidad se acercaba y aún no había conseguido los ocho pesos. Todo parecía indicar que nunca podría comprarle el gatito a su abuela.

Un día oró: "Amado Dios, ayúdame, por favor. ¡Tengo tantos deseos de hacer feliz a mi abuelita!"

En ese momento sintió que algo tocaba su pierna y, al mirar hacia abajo, vio un gracioso gatito moteado.

Por un momento se sintió impulsada a alzarlo y a correr a su casa con él. "Pero no —se dijo a sí misma—, aunque

me gustaría quedarme con él, no debo hacerlo porque eso sería robar".

Y se sintió muy contenta de no haberlo hecho, pues sólo unos minutos después apareció una dama que le dijo:

—Pareciera que a mi gatito le gusta estar en tu compañía.

—Sí —respondió Lucía—; me gustan mucho los gatitos. A mi abuela también le gustan. En la última fiesta de Navidad le di una tarjeta que tenía el retrato de un gatito, y le gustó mucho. Y este año quisiera darle un gatito de verdad, pero cuesta ocho pesos, y Dios aún no me ha enviado el dinero.

—Bueno, bueno —dijo la señora sonriendo—, estoy muy contenta de que me lo hayas dicho. Mi gata tendrá gatitos dentro de unos días, y cuando ya sean un poco grandecitos puedes venir a mi casa y escoger uno para tu abuelita.

—¿Es cierto que puedo hacerlo? —le preguntó Lucía con gran alegría—, ¿es cierto? ¡Oh, gracias, muchas gracias!

La víspera de la Navidad, Lucía visitó a la señora y encontró, para su alegría, cuatro hermosos gatitos que parecían cuatro pelotitas de algodón. Y escogió el más parecido al que había perdido su abuela.

¡Cuán alegre y sorprendida se sintió ésta de tener un gatito! ¡Y más feliz aún cuando supo cómo había sucedido todo!

—¿No es maravilloso Dios? —exclamó Lucía.

—¡Sí, no hay duda de que Dios es maravilloso! —le respondió su abuela.

HISTORIA **31**

Fronteras de Paz

HACE algunos años estaba viajando por la moderna y hermosa carretera que va por la costa del océano Pacífico, desde México a Canadá. De pronto vi un arco que me llamó mucho la atención.

Al principio me pareció que estaba completamente fuera de lugar, pues no tenía cerca ni defensa alguna a su alrededor. No podía dejar de preguntarme por qué a alguien se le había ocurrido construir un arco tan hermoso en un sitio tan apartado.

Pero cuando me acerqué más, descubrí la razón: este arco, aparentemente tan raro, se levanta sobre la línea invisible que separa a los Estados Unidos de Norteamérica del Canadá. Esta línea o frontera se extiende por más de cinco mil seiscientos kilómetros a través de bosques, lagos, praderas y montañas, desde la costa del océano Pacífico hasta la del Atlántico, sin armas o fortificación alguna que la protejan. Es, sin duda alguna, una frontera de paz.

Este hermoso portal, símbolo de paz y amistad, se halla en el límite entre los Estados Unidos y el Canadá.

LEXICROMO DE L. M. QUADE, ADAPTADO DE UNA FOTOGRAFIA DE BREIDFORD

Esta hermosa e impresionante arcada es un símbolo o comparación de la permanente amistad y buena voluntad que existe entre estas dos naciones.

En un lado del arco se leen estas palabras: "Los hermanos viven unidos"; y en la otra parte, dice: "Hijos de una misma madre".

En la parte superior flamean las banderas de ambos países, las cuales pueden distinguirse desde lejos.

Pero no sé por qué lo que más me impresionó fueron las puertas.

—¿Puertas sin cercas o defensas de ninguna clase? —te preguntarás sin duda.

—¡Sí! ¡Las puertas más graciosas que tú hayas visto alguna vez! Son tan pequeñas, tan delgadas y tan frágiles, que si alguno las cerrara, el viento pasaría por ellas.

Dentro del arco, y sobre el lugar del cual se hallan sostenidas las puertecitas, aparece esta hermosa y significativa declaración: "¡Que estas puertas nunca se cierren!"

¿No sería algo hermoso y deseable que

tales arcadas y monumentos se levantaran en las fronteras de todos los países del mundo?

¡Qué hermoso lugar para vivir sería la tierra si monumentos de amistad y buena voluntad como éstos reemplazaran todas las fortificaciones, los alambrados, las trincheras, los subterráneos, todas las "cortinas de hierro" y "de bambú" que aprisionan y detienen a millones de personas sobre la tierra! ¡Qué cantidad de problemas difíciles se resolverían!

Aunque no podemos modificar las fronteras de las naciones, podemos por lo menos, evitar que haya barreras de enemistad que separen nuestros corazones de los corazones de otros, en cualquier lugar en que nos encontremos.

En todas nuestras relaciones con las otras personas, ya sean los niños de la escuela o nuestros vecinos, ya sean ricos o pobres, cultos o ignorantes, recordemos que somos hijos del mismo Padre que está en los cielos. Hasta donde nos sea posible, vivamos siempre unidos y en paz.

HISTORIA **32**

Jesús Sabe, y nos Cuida

HAY una antigua y hermosa canción que nos dice que Jesús sabe todas las cosas, y que nos cuida.

El cuida especialmente de los niñitos. Quizá me preguntarás por qué estoy tan seguro de su protección. Bueno, estoy seguro de que es así, por una sola cosa: por las muchas cartas que recibo constantemente. Estas cartas vienen de muchos lugares, y son escritas por muchos niños y niñas en diferentes estilos de letras; y en todas me dicen en diversas maneras, cómo Jesús los ha cuidado y ha manifestado su amor por ellos en forma especial. En algunas de estas cartas me dicen cómo oraron a Jesús, ya que habían leído en un libro de esta misma colección acerca de las oraciones de los niños que fueron contestadas por Jesús.

Cada uno había presentado algún pequeño problema al Señor, y había hallado que él es una ayuda segura en las dificultades. Quizá tú puedes hacer lo mismo.

EN EL SACO DE LA CORRESPONDENCIA

La primera carta de la cual deseo hablarles me la envió una niñita llamaba Lily, la cual pasó unas vacaciones con unos amigos en Pulloxhill, un pueblo de Inglaterra. Lily siempre deseaba recibir cartas de su mamá, que vivía en la ciudad de Londres.

Ella dice en su carta: "Un día recibí de mi mamá un pequeño paquete. Lo abrí, y encontré una nota en la que me decía que dentro encontraría un chelín, (moneda inglesa que equivale a unos pocos pesos). En seguida busqué y busqué la moneda, pero no la pude hallar".

En forma cuidadosa —cuenta Lily—, revisó cada papel dentro del paquete, pero el chelín no estaba en ninguna parte. Se sintió muy triste porque la moneda representaba una buena cantidad para ella. Hacía mucho tiempo que no había tenido una cantidad así para gastar, ¿y cuándo podría su mamá enviarle otro chelín? Entonces se le ocurrió orar a Dios pidiéndole ayuda.

"Cuando le rogué a Dios esa noche —me escribió ella— le pedí que me ayudara a encontrar la moneda. Yo estaba segura de que él me ayudaría".

¿Y qué creen ustedes que pasó? Bueno, sucedió algo raro. El cartero vino a la mañana siguiente a traer la correspondencia, y le dijo a Lily:

—¿Recuerdas el paquete que te traje ayer?

—Sí, lo recuerdo —le respondió Lily—. Me lo envió mi mamá.

—¿Y estaba todo en orden? —le preguntó el cartero.

—No —contestó Lily—. Mi mamá me envió un chelín, pero no estaba en el paquete.

—¡Aquí está! —le dijo sonriente el cartero— Ayer por la tarde, cuando regresé a mi casa después del trabajo, encontré un chelín en el fondo de mi valija (saco de correspondencia). He tratado de averiguar cómo llegó allí, y de pronto se me ocurrió que quizá estaba dentro de tu paquete porque allí también estaba una etiqueta que venía con él.

¿Se sentiría Lily muy contenta de encontrar su chelín? ¡Ya lo creo que sí!

—Esto prueba —me explicaba en su carta— que Dios contesta las oraciones.

¡No hay duda alguna de que así es! ¡Qué Dios te bendiga, querida Lily!

POR QUE REGRESO EUGENIO

Tengo en mis manos otra carta que me escribió una niña llamada Margarita, que vive en el Estado de Texas.

Ella me escribe para decirme que oró por su hermanito Eugenio. ¿No es algo maravilloso esto?

Eugenio había decidido abandonar su hogar. Su madre y Margarita le habían rogado que no se marchara, pero él ya lo había decidido, y parecía que nada lo haría cambiar de parecer. Eugenio ya tenía lista su maleta, y en pocos minutos un amigo pasaría para recogerlo. Los dos jovencitos se iban para quizá nunca más volver.

Margarita rogó a su hermano por última vez que no se fuera; pero no tuvo ningún éxito. Este tomó su maleta, y salió a la puerta para esperar a su amigo. No teniendo más qué hacer, Margarita corrió a su cuarto, se arrodilló, y le rogó a Jesús que ayudara a su hermano a cambiar de parecer para que no cometiera semejante error. En ese momento se abrió la puerta del frente, y Eugenio entró. Margarita corrió a recibirlo.

—No me iré —le dijo Eugenio.

Entonces salió a hablar con su amigo que acababa de llegar. Eugenio le dijo que había decidido quedarse con su mamá y su hermanita. El amigo se fue, y Eugenio entró en su casa y desempacó todas sus cosas.

—El nunca supo —me dice Margarita en su carta— por

 qué cambió de parecer; pero yo sí lo sé.

Margarita es una hermana que todos quisiéramos tener, ¿verdad?

SALVADA DEL FUEGO

Una niña llamada Catalina me envió esta historia emocionante de algo que ocurrió cuando ella aún no había cumplido seis años de edad.

Un incendio comenzó en la pradera, y se propagó hacia el pueblo en donde vivía Catalina. Todos estaban afuera tratando de apagar el fuego; todos excepto Catalina y su mamá, la cual se hallaba enferma.

Pero todos los esfuerzos para apagar el fuego fueron inútiles. Este se extendió devorando casas, granjas, establos, graneros y todo lo que encontraba a su paso. Y ahora se dirigía rápidamente a la casa de Catalina. Partes de los techos volaban impulsados por el fuerte viento; y las azoteas amenazaban con desplomarse de un momento a otro.

—¡Pidamos ayuda a Jesús! —le dijo Catalina a su mamá. Se arrodilló y le pidió a Jesús que las salvara del fuego.

Después de una corta y sencilla oración, se volvió hacia su mamá, y le dijo con el rostro lleno de alegría:

—¡Ahora sé que este fuego no destruirá nuestro hogar. Sé que no será así. Jesús no lo permitirá!

En ese momento el viento cambió de dirección, y la cor-

tina de fuego amenazante fue desviada por una mano invisible. ¡El hogar de Catalina se había salvado!

Esta niña tenía una fe maravillosa, ¿verdad?

EL LIBRO PERDIDO

María y Norma llevaban a cabo sus últimos aprontes apresuradamente, pues ya era tiempo de ir a la escuela. De pronto María se dio cuenta de que le faltaba uno de los libros de texto.

—¿Dónde está mi libro de inglés? —preguntó María.

—¿No lo tienes acaso? —le respondió Norma—. ¡Y tenemos que llevarlo hoy, pues debemos leer en la clase!

—No; no está entre mis libros —replicó María mientras miraba entre todas sus cosas—. ¿Dónde estará?

—Bueno, apresúrate —le recordó Norma—. Es tarde.

—Pero antes debemos encontrar ese libro. ¿Por qué no me ayudas a buscarlo? —le rogó María.

Buscaron y buscaron, pero no apareció por ninguna parte.

El tiempo pasaba rápidamente. Si no se apresuraban, no llegarían a tiempo a la escuela, ¡y cómo les disgustaba llegar tarde!

—Norma —sugirió María—, pidámosle a Jesús que nos ayude. Quizá él pueda ayudarnos a encontrar el libro.

Ambas oraron y apenas se levantaron María dijo:

—¡Ya sé! Hay un lugar en el cual aún no hemos buscado. A lo mejor se cayó de la mesa en el cesto de la basura. Rápido, Norma, veamos si está allí.

Así lo hicieron: y allí estaba el libro, en el fondo del cesto.

Gozosas y agradecidas lo tomaron, y salieron apresuradamente para la escuela. ¡Y llegaron justamente en el momento en que el timbre de entrada comenzaba a sonar!

HISTORIA **33**

Tomás el Honrado

SI TU encontraras un portamonedas perdido, ¿qué harías?

Ante todo creo que lo revisarías para ver cuánto dinero contiene. Lo más seguro es que hubiera algo. De ser así, ¿qué harías después?

¿Dirá acaso alguno: "Yo me guardaría el dinero y luego botaría el portamonedas"? Espero que no. Sé que algunos muchachos lo harían, pero no aquellos que tratan de agradar a Jesús y cumplir la regla de oro. Su actitud sería la siguiente: primero se preguntarían: "¿A quién se le habrá perdido este portamonedas?" Y después: "¿Cómo podré devolvérselo? Yo sé que debo hacer a otros lo que deseo que los demás hagan conmigo. Así que debo conseguir a su dueño cuanto antes, y devolvérselo".

Si tú alguna vez perdiste dinero, o algo que apreciabas mucho, entenderás y comprenderás esta actitud. ¡Cuánto deseabas tú encontrar lo que habías perdido! ¿Verdad? Por un momento habrá parecido que esas cosas perdidas eran las más importantes del mundo, tal como la moneda y la oveja perdida de las parábolas de Jesús. Y si no encontraste lo que se te perdió, lo echaste mucho de menos, ¿verdad?

Bueno, ésta es la razón por la cual hay que tratar de encontrar al dueño de algo que encontramos. Esto es ser amable y considerado, y hacer las mismas cosas que Jesús haría si estuviera en nuestro lugar.

Otra razón importante para hacerlo es que, hasta que no hayas tratado, por todos los medios, de encontrar a la persona para entregarle lo que le pertenece, tú serás considerado como ladrón. Y el robo es algo que repugna. Dios tiene un mandamiento que dice: "No hurtarás"(Exodo 20: 15). Y debemos tener mucho cuidado de no quebrantar ninguno de sus mandamientos.

¿Entonces qué debe hacerse con el portamonedas? Lo mejor es entregarlo en la estación de la policía. ¿Por qué? Porque generalmente es la manera más rápida y segura de devolver las cosas a su dueño. Probablemente el que lo haya perdido ya ha dado parte a la policía, de su pérdida, y se halla esperando, sin mucha seguridad de que alguien se lo devuelva.

Además, es una protección para ti en caso de que en el futuro haya una investigación. Alguien pudo haberte visto cuando recogías el portamonedas o haberte oído hablar de tu buena suerte, y esto podría causarte dificultades más tarde. Pero si tú lo entregas a las autoridades, tu conciencia estará

limpia delante de Dios y de los hombres.

Esto me hace recordar la historia de un niño honrado llamado Tomás. Una tarde caminaba por una calle de una ciudad, y vio un portamonedas en la acera. Lo recogió, miró adentro, y halló que contenía una gran cantidad de dinero. ¡Nunca había visto tanto dinero en su vida! Había 53 dólares en billetes de diferentes valores. ¡Oh, qué gran fortuna debe haberle parecido a Tomás esta cantidad de dinero!

Y ¿qué hizo Tomás con ese dinero? En primer lugar, como un niño inteligente, se lo llevó a su mamá. Luego los dos fueron a la policía y depositaron el portamonedas. En el departamento de policía se sintieron muy contentos de encontrar un niño tan honrado, y le prometieron avisarle si alguien llamaba a la policía en busca de su dinero.

Mientras tanto, el hombre que había perdido su portamonedas estaba buscándolo por todas partes. No tenía idea alguna acerca de dónde pudiera haberlo perdido, y estaba seguro de que ninguno se lo había robado. Finalmente, uno de sus amigos le aconsejó que lo reportara a la policía. Y ustedes pueden suponer cuál fue el resultado.

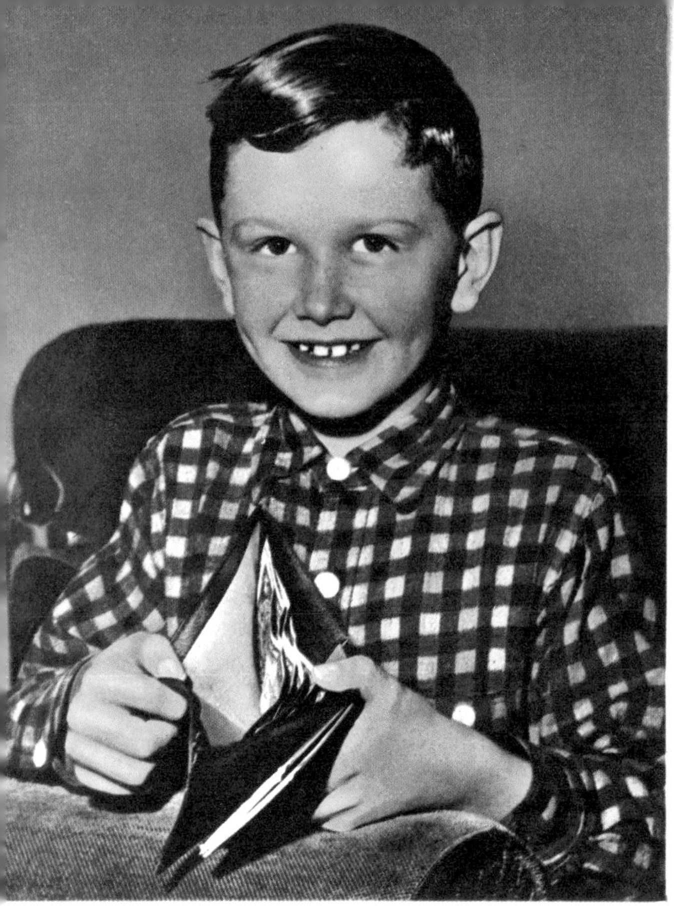

La policía le respondió que un jovencito les había entregado un portamonedas que había encontrado en la calle, y que si él podía describirlo sin verlo, se lo entregarían.

¡Imagínense la sorpresa y la alegría del hombre al darse cuenta de que todo su dinero estaba allí! ¡No le faltaba ni un dólar! Tan contento estaba por esto, que inmediatamente deseó ver a Tomás. Cuando lo encontró le dio 25 dólares de gratificación. El hombre pensó honestamente que el niño debía ser recompensado.

De alguna manera los periodistas se dieron cuenta, y "Tomás el honrado", como dieron en llamarlo, halló que su nombre figuraba en los titulares de los periódicos junto con los grandes estadistas del mundo y los héroes del deporte.

Un fotógrafo visitó a Tomás y le tomó una fotografía, la cual publicó en uno de los mejores periódicos de la capital del Estado. Toda la ciudad conoció la acción de Tomás, y se sintió orgullosa de él. Miles leyeron la historia, y se regocijaron de que en su ciudad hubiera un muchacho tal, al cual, mientras crecía, su madre le enseñaba a obedecer los Diez Mandamientos de Dios.

Una copia del retrato original que le tomó el fotógrafo ya nombrado, y que aparece en esta misma página, mostrando el portamonedas también cuelga en el hogar de Tomás, como un homenaje de sus hermanos, y un recordativo constante de que la honestidad y la virtud deben aprenderse en los primeros años de la niñez. En dicho cuadro Tomás sostiene el portamonedas que devolvió a su dueño.